LA LOGIQUE DE L'USAGE

Du même auteur :

avec J.C. GARDIN et coll. *Économie générale d'une chaîne documentaire mécanisée,* Gauthier-Villars, Paris, 1967.

Éléments pour un dialogue avec l'informaticien, Mouton, La Haye, 1971.

Premier Catalogue de procédés audiovisuels oubliés, OFRATEME, Paris, 1976.

La Photo buissonnière, Fleurus, Paris, 1978.

Mémoires de l'ombre et du son.
Une archéologie de l'audiovisuel. Préface de B. Gille, Flammarion, Paris, 1981 (Grand Prix d'Histoire de la Photographie).

Sous la direction de J. Perriault, avec J.F. Boudinot, B. Boffety, M. Descolonges et E. Lage). *Rock ou informatique?* Une enquête auprès des adolescents du XIIIe arrondissement, INRP, Paris, 1985.

JACQUES PERRIAULT

LA LOGIQUE
DE L'USAGE

Essai sur les machines à communiquer

Préface de Pierre Schaeffer

FLAMMARION

© Flammarion, 1989
ISBN 2-08-066050-0
Imprimé en France

Préface

Souffre, Seigneur, environnés de tant d'alarmes
Que ces machines nous prodiguent quelque calme...

(d'après Racine)

Au contemporain, assommé de constantes inventions, aveuglé d'audiovisuel, Jacques Perriault apporte quelque répit, de la distance, une perspective qui manquait, jusqu'à l'écho parfaitement oublié d'ancêtres qu'on croyait moins avertis : Florian, l'abbé Nollet, Marie-Antoinette elle-même, comme si elle était questionnée par une enquête de l'IFOP sur la télé scolaire, et qui répond au sujet de la lanterne magique : qu'elle doute beaucoup de ses heureux effets sur l'éducation de Louis XVII. Quant à Voltaire, manipulant sans précautions le projecteur, qui est une lampe à esprit de vin, il se brûle les mains.

On trouve donc ici ce qui manquait à nos impudentes innovations, à nos mythes effrontés concernant la pédagogie, la communication, l'information : leur enracinement dans l'histoire, les mythes, l'imaginaire. Et ce n'est pas un conte de fées, même s'il garde le charme et la magie d'un autre conteur, nommé aussi Perr(i)ault (Charles)...

L'auteur dit quelque part que « la lanterne devient pédagogue ». Retournons-lui la politesse. Il éclaire à son tour notre vision, notre audition, nous montre comme assourdis, aveuglés par trop de sons et d'images

7

venus d'ailleurs, sans qu'on sache très bien comment : en fait, en puissance depuis des millénaires...

Comme on s'habitue vite! Nos grands-parents, plus prudents, se méfiaient. Gounod craignait que la voix de la chanteuse, prisonnière du gâteau de cire, ne se mette à vieillir. Les auditeurs, justement incrédules, épiaient les lèvres de l'opérateur, qu'ils soupçonnaient d'être ventriloque. Les naïfs, ce n'était pas eux, mais nous qui avons pris leur relève.

« On vous sonne, et vous répondez? » Ironie d'aristocrate, choqué du téléphone. Dans les fastes de fin de siècle, ou même encore au début de celui-ci, on sonnait ainsi ses gens, pas les ministres...

Bien élevé, j'avais gardé mes habitudes à mon entrée dans le service public. Je manipulais mon tableau téléphonique (on appelait ça un « classeur ») avec déférence, et non sans discrimination. Les boutons qu'on actionnait, les volets qui tombaient n'étaient pas du même bord. Ils désignaient des supérieurs, des inférieurs et des égaux. Abaisser les tirettes correspondant à l'administrateur en chef, voire au directeur général, c'était entrer en transe, ou tout au moins en cérémonie. Que de manettes, un instant abaissées à l'étourdie, étaient relevées vivement! Que de boutons convoités mais redoutés! Si peu de touches, et pourtant combien d'airs, de reprises, d'ouvertures, de fausses fins...

Jacques Perriault lève enfin les masques de tant de technicité, dévoile ce que la relation, par systèmes interposés, s'ingénie à celer : non seulement une *réduction* du contenu, mais une distorsion du *dispositif*. Tout message, par les machines, n'est plus qu'une portion du réel privilégiée, valorisée au détriment du *reste*. Toute télécommunication opère au moyen d'un remaniement de la stratégie traditionnelle. Demeurent des partenaires, un dialogue sans doute, mais dans un nouveau décor, sur une scène différente, et dans le

8

clair-obscur d'un éclairage filtré. Dans ce théâtre d'ombres règnent d'autres règles du jeu, une tactique différente, de nouvelles stratégies. C'est ce à quoi s'applique l'analyse de Jacques Perriault, confrontant la longue tradition et les récentes novations.

A feuilleter tant d'épisodes, si vivement narrés, je retrouve des souvenirs, presque à la lettre. Me voici à la table de Marguerite Deval, ma célèbre cousine, qui se plaint une fois de plus des filles du standard, ou de l'« homme du téléphone ». Déjà auparavant, en 1904, une autre diva était passée en correctionnelle pour insultes au petit personnel.

Ma vénérable cousine, qui ressemble dans ces cas-là à un bouledogue, ne décolère pas. « Enfin, mademoiselle, grince-t-elle, allez-vous me donner M. Fauchier-Magnan, M. Potin, ou M. de la Roche-jacquière ? » « Les idiotes », ajoute-t-elle, à peine en aparté. « Reprends donc un peu de caviar, enchaîne-t-elle d'une même haleine. » Pendant son cinéma, je cherche à m'imaginer. Ma cousine, toute vénérable qu'elle soit par l'âge et la notoriété, n'en a pas moins, dans la famille, une réputation feutrée. Elle a été l'amie de ministres, voire de présidents du Conseil. Elle appelle Caillaux par son prénom : Joseph. « Je finirai par me plaindre à Joseph », conclut-elle. Moi, j'hésite entre la gloire et la honte. Enfant pieux que j'étais, et si bien élevé, comment concilier de si bonnes, de si mauvaises manières! « Que fait un polytechnicien, finalement ? » me disait-elle, puisqu'elle affectionnait de me produire dans sa loge (« et surtout viens en uniforme! »). Elle se demandait sans doute si tel était le bon chemin pour devenir ministre, ou diriger le chocolat Potin. Elle en doutait spontanément, à juste titre. Allais-je avouer que le plus probable était que je sorte dans un rang honorable certes, mais qui me vouait aux PTT, la gent honnie! Je taisais ce destin infâme.

Eh bien, l'allais le retrouver, et en pire, dans les transmissions de l'armée, dans la guerre. Non pas celle de mon père (« celle que j'préfère ») mais dans ma guerre minable, sans baïonnette au canon, mais non sans téléphones, lesquels ne portaient pas, faute de fil depuis longtemps déroulé dans la retraite. Comme j'ai haï le téléphone, bien plus que la diva n'avait pu le faire...

Que Jacques Perriault me pardonne de mêler des souvenirs aussi profanes à sa sérieuse étude, à une révision de nos moyens de communiquer si ajustée, si nécessaire. C'est que j'illustre à ma façon l'humanisme qui court entre ses lignes, et son propos essentiel qui est de découvrir sous les apparences l'*emploi,* l'usage et le *détournement :* mots essentiels, mots clés de toute l'affaire.

Pierre Schaeffer

LA SUPPRESSION DE L'ABSENCE.

GRAVURE de ROBIDA
(1848-1926)

Dans les années 1884, Robida, caricaturiste visionnaire, anticipe de nombreux usages des machines pour communiquer. Ici, le visiophone.

Introduction

> *La presse, la machine, le chemin*
> *de fer, le télégraphe sont des prémices*
> *dont personne n'a encore osé tirer la*
> *conclusion qui viendra dans mille ans.*
>
> Nietzsche

Ce livre trouve son origine dans mon expérience professionnelle. J'ai en effet passé une partie importante de ma vie à examiner les rapports entre les enfants, la photographie, la télévision et l'informatique; or, j'ai toujours été frappé, comme beaucoup, par le fait que ces appareils leur étaient d'emblée familiers, alors qu'ils intimidaient les adultes. Le temps qu'ils passaient – et qu'ils passent toujours – à regarder la télévision, constituait une interrogation importante, à laquelle j'estimais qu'il était insuffisant d'apporter une réponse répressive et moralisatrice [1]. Il était nécessaire de comprendre d'abord pourquoi cet appareil s'était aussi bien intégré dans la vie de leurs parents. Le fait qu'ils parlent des appareils se trouvant chez eux comme d'une sorte de parc familier montrait qu'après tout ils ne faisaient que prendre acte, en arrivant au monde, de l'aboutissement d'une série de décisions d'équipement des ménages.

A partir de 1975, les effets de la télévision sur les jeunes devinrent l'objet d'un débat public. Le gouvernement américain avait lancé une mission sur le thème « Violence et télévision » qui donna lieu au rapport

11

Surgeon. Depuis cette date, les effets néfastes de la télévision sur les enfants ont constamment été soulignés au moment même où étaient célébrées les vertus des technologies nouvelles de l'information. Actuellement de nombreux ouvrages reviennent sur cette question [2]. L'idée dominante est, pour reprendre les termes d'Alain Finkielkraut, que la logique de consommation détruit la culture. Le réflexe normal est alors d'entamer une critique des contenus véhiculés par le médium. De là à adopter une position moralisatrice, il n'y a qu'un pas, parfois vite franchi. Du coup, la question, apparemment naïve, de savoir pourquoi tant de gens regardent aujourd'hui la télévision ne connaît pas de réponse satisfaisante.

Un autre débat s'est instauré en France sur les messageries qu'on dit « roses ». D'entrée de jeu, le jugement est là encore d'ordre moral, alors qu'on pourrait se demander aussi qui en sont les utilisateurs et pourquoi ils y font appel. Dans les deux cas, les seules discussions concernent le contenu des messages. Or, les actes décisifs se trouvent en amont : acheter un téléviseur, composer le numéro d'une messagerie. Ne faudrait-il pas s'interroger sur les politiques d'équipement, sur les formes d'usage autant que sur les contenus? En effet, les débats à leur sujet n'avancent guère, écran cathodique et morale se trouvant enlacés dans une sorte d'étreinte fatale, dans un jeu de fascination-répulsion.

Revenons un instant sur l'équipement électronique ménager. A côté des automates ménagers qui cuisent, congèlent ou lavent, il y en a de plus en plus qui produisent et reçoivent des signaux, bref, qui servent peu ou prou à la communication, terme vague mais commode qui évoque l'échange et le stockage de messages. Il paraissait donc intéressant de ne plus se focaliser sur la pratique familiale de la télévision, mais de considérer désormais l'ensemble des pratiques de communication au moyen des divers appareils, l'objectif étant alors de comprendre les usages qui en sont faits ainsi que leur rôle dans l'économie des relations familiales.

A cet effet, le concept générique de machine à communiquer se révèle très utile. Proposé par Pierre Schaeffer en 1970, il regroupait cinéma, radio et télévision [3]. Il a été étendu ici à d'autres appareils. Son mérite principal est de distinguer, dans la masse des équipements domestiques, une catégorie d'appareils que l'on avait l'habitude jusqu'à présent de considérer isolément. L'hypothèse est que les usagers ont une stratégie d'utilisation de ces machines à communiquer. Son intérêt et sa consistance sont renforcés par l'évolution de l'équipement, qui s'est considérablement diversifié dans les deux dernières décennies : radio, téléphone, télévision, magnétoscope, etc.

Rendre visibles les usages

Il s'agit alors d'étudier la façon dont les familles se servent de leur équipement domestique en matière de communication, ce qui suppose que soit résolue la question, délicate, de savoir ce qu'on entend par « usage ». Le terme lui-même est insaisissable. La perception qu'on en a paraît solide, puis s'évanouit dans l'instant qui suit. Et pourtant, le terme désigne quelque chose qui a une consistance et une épaisseur. Je m'en rendis compte alors que je travaillais avec des enfants sur l'emploi de l'ordinateur ou de l'appareil-photo : je constatai de multiples pratiques déviantes par rapport au mode d'emploi, qui étaient autre chose que des erreurs de manipulation. Elles correspondaient en effet à des intentions, voire à des préméditations. Ces constats me confortèrent dans mon projet de comprendre pourquoi ces enfants ne se servaient pas des appareils de façon orthodoxe. Deux attitudes étaient possibles. L'une consistait à ne rien voir – Confucius disait qu'une façon commode de faire disparaître un éléphant est de regarder à côté. L'autre était se confronter à la question. En ce qui me concerne, je voyais souvent des éléphants, mais nulle part je ne trouvais de théorie qui rendît compte de leur apparition ou de leur disparition. Il allait de soi qu'on se servait d'une machine selon son mode d'emploi. On n'imaginait pas qu'il puisse y avoir des déviances ni que leur examen présente un intérêt quelconque.

Pourtant, devant l'observateur attentif, les usages semblaient jouer une sorte de ballet. L'utilisateur se servait différemment de l'appareil, inventait un autre emploi, ou bien l'abandonnait sans qu'il soit soupçonné d'autre chose que de maladresse, d'incompétence ou de mauvais esprit. Il y a d'ailleurs une expression pour décrire cela : se servir d'un objet « comme une poule qui a trouvé un couteau ».

Si l'utilisation d'un outil par un artisan, par un paysan a été étudiée de longue date, en revanche il n'en était rien, jusqu'à une époque récente, pour l'emploi d'un appareil par un consommateur profane. La notion d'usage, elle-même, restait floue. Par « usages » on entendait ceux de la Cour, à tout le moins les bonnes manières. On prenait un outil par le manche, voilà tout... Dans de telles conditions, la vision des éléphants cités plus haut pouvait très bien relever du délire. Les technologues consultés rétorquaient qu'ils ne voyaient que deux sortes de gens : ceux qui se servaient *bien* des appareils et ceux qui s'en servaient *mal*. Suggérer qu'il pouvait y avoir des variantes, des détournements, des arpèges ne faisait qu'accroître la suspicion chez l'interlocuteur.

Dans l'après-guerre, les choses commencèrent cependant à changer. L'anthropologie et la sociologie s'intéressèrent à la question. En 1965, trois ouvrages abordèrent sous différents angles la double question de l'usage et des machines à communiquer. Pierre Bourdieu montra comment l'emploi de l'appareil-photo était déterminé non seulement par ses possibilités techniques mais aussi par le milieu d'immersion [4]. Dell Hymes, analysant l'emploi de l'ordinateur en anthropologie, constatait que dans ce milieu, l'appareil n'était pas « jugé comme un instrument, mais comme le symbole de forces ultérieures [5] ». André Leroi-Gourhan, enfin, s'inquiétait de l'incidence de la mécanisation progressive des activités et se demandait si elle n'aurait pas une influence en retour sur l'évolution de l'homme [6].

D'autres travaux en ethnologie et en sociologie du travail commencèrent à décrire en situation le rapport de l'homme à la technique. Robert Linhart avait décrit dans *L'Établi* [7] les pratiques réelles qu'il avait connues étant lui-même ouvrier dans un atelier. Thierry Gaudin et quelques autres avait alors fondé le groupe « Ethnotechnologie [8] » qui se proposait d'étudier les interactions entre technique et société. Ce champ d'intérêt se développait partout : les États-Unis lançaient un programme d'études sur le « Technological Assesment », l'histoire des techniques recevait de remarquables contributions [9] et certains économistes abordaient l'étude de l'innovation [10]. Tous ces travaux avaient en commun de ne plus révérer la technique, de la mettre sur un pied d'égalité avec les hommes qui s'en servent et d'en décrire aussi bien les grandeurs que les errements.

Ainsi encouragé, j'entrepris d'expérimenter. Je travaillais déjà à ce moment-là, en 1972, avec l'ordinateur et avec la vidéo. C'étaient et ce sont toujours des appareils que les Britanniques qualifient de « versatiles », c'est-à-dire qu'ils ont une certaine malléabilité. L'hypothèse était séduisante de les considérer comme une pâte à modeler et de voir la forme qu'ils prenaient selon les usages qu'on en faisait.

Ce programme de travail dura dix ans. L'usage de l'ordinateur se révélant une question complexe, je simplifiai en étudiant celui de l'appareil-photo par des enfants [11], puis celui du téléphone, avant d'en venir à l'ordinateur. En parallèle, je mis en chantier une étude historique des usages de la lanterne magique et du phonographe, car, on l'ignore en général, ces appareils ont une histoire très ancienne. L'objet de la recherche était la genèse et l'évolution des attitudes et des pratiques [12]. Il fallait se dégager des cadres institutionnels qui édictent une norme d'emploi et adoptent une vision binaire de l'usage, tout en tenant compte des influences multiples du contexte.

D'expérience, l'usage est très difficile à observer. Les utilisateurs ne se servent pas en continu des appareils, ni quand les chercheurs sont là, sauf pour leur faire plaisir. C'est au chercheur, s'il veut respecter la pratique du sujet, de se plier à ses rythmes et à ses temps. Par ailleurs, l'acte de se servir d'un appareil est souvent impossible à décrire, car il est complexe et en partie machinal. La personne observée n'a souvent qu'une conscience partielle de ce qu'elle est en train de faire. L'entretien ne suffit donc pas. Il faut regarder et, pour comprendre ce qu'on voit, savoir pratiquer soi-même.

Ces recherches mirent cependant en évidence suffisamment de régularités pour qu'on puisse conférer à la notion d'usage la consistance nécessaire.

Contexte et histoire

S'intéresser aux usages oblige à sortir du cadre d'observation étroit et précis que délimitent les protocoles d'emploi des machines. Sinon, il est impossible de prendre en compte ce que les techniciens considèrent comme des déviances mais qui est précisément le propre de l'individu, une multiplicité d'attitudes vis-à-vis de la technologie, allant de la servilité à l'attitude la plus frondeuse. C'est l'homme qui est ici au cœur de l'investigation et non l'appareil. Ce parti pris suppose que l'on tienne le plus grand compte des contextes psychologiques, sociologiques, culturels, économiques, si l'on veut comprendre comment s'établit et se propage l'usage d'un appareil. Dans le cas contraire, les concepteurs de banques de données consultables par Minitel attendraient toujours les premiers clients, qui ont, voici plusieurs années, trouvé

16

de bon goût – si toutefois ce sont les mêmes – de détourner l'appareil vers les messageries « roses ».

Le champ d'observation doit être large, mais cela ne suffit pas. Il doit aussi remonter dans le temps. L'usage en effet n'est pas instantané, il procède parfois, comme on le verra pour le téléphone, d'une histoire déjà longue. C'est une première raison. Il y en a une seconde plus générale, tout à fait pertinente pour le domaine des machines à communiquer. Simuler un personnage, un paysage, transmettre des signaux au moyen d'artifices sonores ou lumineux sont des objectifs qui motivent les inventeurs depuis la plus haute antiquité. Les technologies utilisées sont la réflexion sur un miroir, la projection d'un verre lumineux, et plus récemment pour le son, l'enregistrement sur bandes de papier ou sur cylindre. Toute une lignée [13] d'inventeurs, reprenant explicitement des travaux antérieurs, s'ingénie à les perfectionner, si bien que de proche en proche, on peut relever des filiations reliant Vitellione à Edison. On ne peut donc, dans une analyse des usages, ignorer le substrat de longue durée qui s'est forgé dans notre culture en matière d'image projetée et de parole artificielle.

En parallèle existaient des usages pour les machines offertes, mais ils sont mal connus et, en tout cas, numériquement moins importants que dans la société contemporaine. En prenant le recul nécessaire, on constate que l'essor de l'équipement en appareils pour la communication remonte à la fin du XIXe siècle et a progressé par grandes vagues successives : radio, télévision, téléphone, par exemple. Le développement de la société industrielle aidant, les inventeurs ne sont désormais plus seuls dans leur coin à concocter leurs découvertes. Ils ont un entourage composé de savants, d'ingénieurs, de journalistes qui ne cessent de formuler des projets utopiques, des hypothèses de besoins. Certaines de leurs idées sont délaissées tandis que d'autres sont reprises par la société. C'est précisément cette reprise qui est intéressante, qui est à déchiffrer. Quels en sont les motifs et les finalités, pourquoi se développe-t-elle si intensément dans la société contemporaine? La notion d'usage permet de répondre à cette double question.

Le paysage est campé. D'un côté les inventeurs, qui poursuivent leur rêve de perfectionner une technologie de l'illusion, et leur entourage technicien, qui élabore sans cesse des propositions. De l'autre, les profanes, les usagers éventuels, qui reçoivent sans cesse ces offres, qui tentent de les introduire dans leur logique propre, ne partageant que rarement les fantasmes de ceux qui les leur proposent. L'organisation de ce livre respecte ce dialogue permanent entre une offre technologique et une évolution des usages. Même s'il existe des interactions fortes entre l'une et l'autre, les industries s'enrichissant de l'expérience des usagers, le postulat de cette étude est qu'une lignée technicienne se perpétue dans le domaine spécifique des machines à communiquer.

PREMIÈRE PARTIE

INVENTEURS ET TECHNOLOGIES DE L'ILLUSION

I
Une lignée millénaire

Les moteurs de l'invention

Un Minitel ne ressemble guère à un phonographe, ni un ordinateur à une lanterne magique. Et pourtant, ces machines ont plus d'un lien entre elles. Mais pour s'en convaincre, il faut les considérer aussi bien dans leur histoire que dans leurs usages. On ignore la plupart du temps la raison de leur invention et quand on la découvre, on est souvent surpris. Ainsi Graham Bell, Thomas Edison et Charles Cros avaient-ils un compte à régler avec... la surdité. Il ne s'agit pas de construire des images d'Épinal sur l'inventeur et sa machine, mais de mettre à jour le moteur profond d'une découverte, le désir profond qui l'anime. Et si un nom ou deux subsistent autour d'une invention, à l'époque de sa genèse ceux qui cherchent sont nombreux à partager le même rêve. Charles Cros fut ainsi injustement oublié par l'histoire dans le domaine des machines à communiquer, alors qu'il conceptualisa le phonographe après avoir réalisé et mis au point un télégraphe jugé intéressant, et qu'il poursuivait le même but qu'Edison : donner des prothèses à des sourds-muets. Cros était répétiteur à l'Institut des Sourds-Muets de la rue Saint-Jacques à Paris et son souhait, rapporté par Alphonse Allais, était que les infirmes puissent porter en bandoulière une boîte munie d'une provision de phrases pour la journée. Célèbre

21

comme photographe, Nadar fut aussi oublié par l'histoire quand il posa le principe d'un daguerréotype acoustique qu'il appelle déjà « phonographe ». « Voir le son » est un rêve surréaliste partagé à l'époque par de nombreux chercheurs, Léon Scott ayant le premier réussi à reproduire sur un cylindre enduit de noir de fumée les vibrations d'une membrane devant laquelle on parlait. Les rêves se voient mieux avec le recul : la conquête de l'Ouest en fut un, qui donna des ailes au développement du télégraphe. Que la voix traverse l'océan par un câble sous-marin en fut un autre.

L'intimité de ces appareils, leur généalogie, les réactions qu'ils suscitent sont donc révélateurs d'une société, de ses rêves, de ses mythes et de ses usages. Il n'est pas question de radicaliser l'opposition entre logiques techniques et logiques d'usagers : les logiques techniques sont également des logiques de société, et elles savent souvent tirer la leçon de l'usage qui est fait de ce qu'elles produisent. Il n'en reste pas moins qu'il y a toujours des profanes par rapport à la technique, impulsée par les inventeurs, les constructeurs, les marchands, les publicitaires qui évoluent dans son champ. Les autres, les usagers n'y entrent pas, ils sont, étymologiquement parlant, devant le *fanum,* l'aire sacrée, ils sont profanes. Le monde de la technique, lui, a sa propre trame et son temple subsiste à travers les âges. On y construit et perfectionne l'illusion. Chaque mise au point est exaltée par l'entourage technicien de l'inventeur qui prophétise les bienfaits à en attendre. Quant aux usagers, ils sont toujours dehors.

De multiples liens définissent ce milieu, qui a son mode de perpétuation. Les travaux sur le système technicien s'accordent en effet à reconnaître l'existence de cette trame, dont on montrera la consistance dans les chapitres qui suivent.

Plutôt que de se laisser distraire par la diversité et le pittoresque des appareils, mieux vaut garder l'attention braquée sur les principes constitutifs qui, eux, sont relativement constants, y compris dans leurs lacunes : le rapport olfactif joue un grand rôle dans la consommation, mais la technologie ne sait pas transmettre les odeurs. Il en est de même en ce qui concerne le toucher. Le modèle implicite de l'homme communiquant par la technologie est encore celui d'un homme à deux sens. Sauf erreur, il en manque encore trois.

Une histoire ancienne à découvrir

De nombreux travaux contemporains présentent les médias comme un outil spécifique au XXᵉ siècle. L'*Histoire générale du cinéma*, de Georges Sadoul [1], qui fait référence, assigne une origine récente au cinéma, avec les travaux de Marey, Reynaud et Muybridge. En ce qui concerne les machines sonores, la mémoire s'arrête aux travaux d'Edison, de Branly et de Marconi. C'est une illusion d'optique qu'il est plus que temps de dissiper. La recherche de la reproduction artificielle de la voix, des sons et des images, remonte à la plus haute antiquité. Le lecteur pourrait alors objecter que l'on est en train de tout confondre : les peintures magdaléniennes, la statuaire, la lanterne magique et la télévision. Qu'il se rassure, le risque est faible, tant jusqu'à présent a prévalu une conception de la genèse des médias radicalement opposée : pour la plupart des auteurs, c'est un phénomène contemporain, un point c'est tout. Aller plus avant dans la recherche des origines exige un travail considérable et loin d'être achevé. La construction du corpus des inventions relatives à la reproduction des images et des sons en est à ses débuts.

Lorsque j'entrepris mes recherches sur l'histoire des projections lumineuses, je suis, pendant cinq ans, allé de surprise en surprise. La première était de taille : on avait découvert, en 1973, un énorme tas de plaques pour lanternes magiques dans les caves du lycée Saint-

Louis à Paris. Nul ne savait plus à quoi elles servaient. Leur déménagement aux Archives de Fontainebleau, puis à Rouen, permit d'évaluer qu'il y en avait une cinquantaine de tonnes. Ces plaques, produites entre 1884 et 1920, étaient pour la plupart conservées dans de solides boîtes en chêne, enveloppées dans un tissu destiné à les protéger des chocs. Il y avait de nombreuses séries identiques. Aujourd'hui qu'elles sont répertoriées, on sait qu'il y a deux milles séries différentes. A mesure qu'avançait l'exploration, comme dans une enquête policière, apparaissaient de nouveaux témoignages, de nouvelles références bibliographiques, qui, à chaque fois, faisaient reculer dans le passé l'apparition de traits de notre culture médiatique actuelle [2]. Le fondu-enchaîné était pratiqué abondamment au XIXe siècle [3], Robertson utilisait une lanterne glissant sur des rails dans ses « Fantasmagories », pendant la Révolution française, les premières plaques animées dataient du début du XVIIIe siècle. Quant au père Kircher, dans l'*Ars magna lucis et umbrae,* en 1646 [4], parlant des projections lumineuses, il affirmait déjà que si l'on dispose de quelques « parallelogramma » – on dirait de nos jours « diapositives » –, on peut démontrer ce que l'on veut *(« eorumque... quidquid volueris demonstrare potest »).* Il connaissait déjà le pouvoir de fascination et de conviction des médias.

Il faut, pour pratiquer l'archéologie de l'audiovisuel, se plonger dans le latin, car des textes importants sont écrits dans cette langue. Il faut connaître les habitudes des savants anciens qui jetaient délibérément le lecteur profane dans l'erreur, en lui décrivant des mécanismes en réalité impossibles, alors qu'une lecture seconde permet d'identifier le véritable message. Il faut savoir que les collectionneurs ont conservé, parfois occulté, la majeure partie de ce corpus. Il faut enfin savoir que les bibliothécaires ne s'intéressaient, jusqu'à une date récente, qu'à l'écrit, qu'il soit manuscrit ou imprimé.

Tout cela fait que nous ne disposons que d'une

histoire à courte vue. En construire une autre, qui remonte plus loin, comporte un risque, celui de penser en termes d'identité, de rechercher à tout prix la lanterne ou le phonographe jusque dans les âges les plus reculés et de passer à côté de dispositifs qui, bien que fort différents, ont un statut d'ancêtre. Le phonographe compte ainsi dans sa généalogie les automates du XVIIIe siècle et les procédés de sténographie musicale. Il est, à un moment donné, nécessaire de bousculer le sens et les a priori de la généalogie.

Mon goût m'incline à suivre cette orientation. L'histoire de la technique ne se réduit pas à mes yeux à une chronique des machines, dont on compare in vitro les agencements et les améliorations successives.

Le propos n'est pas ici de faire une histoire des machines audiovisuelles mais d'y rechercher d'abord, en ce qui concerne les inventeurs, la manifestation constante de la recherche de l'illusion par des simulations toujours plus perfectionnées.

Si étendre l'histoire des machines à communiquer suppose qu'on se défasse au préalable de l'idée tenace qu'elles sont filles de l'histoire contemporaine, il serait naïf et risqué de reporter sur des auteurs anciens les catégories et les segmentations technologiques de notre société audiovisuelle. Il est significatif par exemple de constater que le père Kircher situe la lanterne magique dans une panoplie de dispositifs d'illusion très divers, qui ont pour but commun de provoquer la croyance des catéchumènes. Il lui confère, et la Compagnie de Jésus le suivra en cela, une grande importance comme instrument pour la propagation de la foi. L'histoire de ces techniques passe par des domaines mal connus, puisqu'ils se situaient dans le cadre de l'occultisme, que ce soit la magie noire de Cagliostro ou la nécromancie de Benvenuto Cellini. Il faut cependant trouver un fil conducteur, détectable dans les sources, sous peine de construire de fausses cohérences et des filiations illusoires. La citation par un inventeur des auteurs à qui il se réfère est en l'occurrence un guide précieux. C'est celui dont on se servira ici pour démontrer l'existence de la longue continuité, au travers d'une lignée millénaire.

Dans cette remontée dans le temps, ne sont mentionnés ici que les inventeurs cités par leurs successeurs et cela jusqu'à la fin du XIXᵉ siècle. L'exercice devient ensuite de peu d'utilité, car les grandes inventions en matière de communication sont connues de tous. Cela n'exclut cependant pas la nécessité d'une histoire technique contemporaine du domaine de l'électronique. S'inspirant de l'analyse de filiation que fit Bertrand Gille pour les mécaniciens de l'antiquité grecque [5] nous avons retracé dans les deux pages qui suivent, sous forme graphique, la succession de ces inventions et inventeurs, c'est-à-dire des ensembles techniques qui ont conduit aux machines contemporaines. Le concept d'ensemble technique est emprunté au même Bertrand Gille qui le définissait comme « un ensemble de techniques affluentes dont la combinaison concourt à un acte technique bien défini ».

Procédés optiques anciens

La littérature consacrée au domaine cite des utilisations très anciennes des jeux optiques et, en particulier des jeux de miroirs [6] pour l'illusion et la simulation. Dès l'antiquité, des savants [7] se sont consacrés à l'étude de la catoptrique, c'est-à-dire de la réflexion des rayons lumineux. L'auteur cité [8] comme référence est Ibn Al Haitam [9]. On lui doit un exposé sur la chambre noire ainsi qu'une expérience faite à l'aide d'une toupie coloriée qui découle de sa connaissance du phénomène de persistance rétinienne. Il observa que quelqu'un qui regarde le soleil, puis ferme les yeux, continue à en voir l'image pendant un long moment.

Roger Bacon impressionnera fortement ses successeurs par ses recherches en optique, puisque Kircher [10] rapporte quelque deux siècles plus tard, que le moine avait su montrer sa silhouette à distance à ses élèves

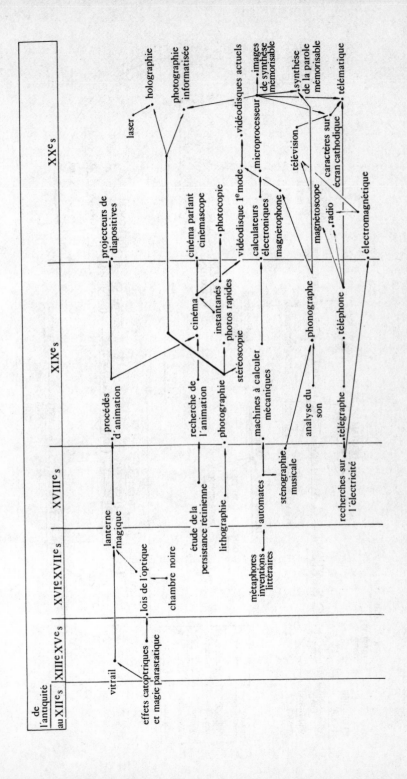

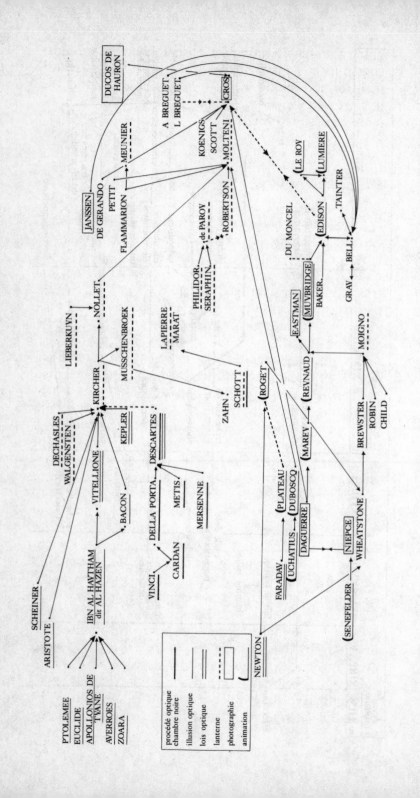

grâce à un jeu de miroirs. L'ensemble de ces procédés constitue la « magie parastatique », qui est l'art de montrer au public des spectacles d'ombres et de lumières au moyen de réflexions et réfractions obtenues par divers procédés.

La chambre noire

La chambre noire est l'instrument qui a, pendant des siècles, été le support des recherches sur la simulation et la reproduction. Elle est connue depuis l'antiquité, en Chine en particulier. Il suffit de percer un trou minuscule dans un coffret, d'y tendre un linge ou un papier translucide, pour y voir apparaître, renversé, le paysage qui se trouve à l'extérieur. Le procédé, on le sait, intéressa Léonard de Vinci qui le décrit ainsi, à l'aube du XVIᵉ siècle : « Si la face d'un édifice ou d'une place, ou une campagne, est éclairée par le soleil, et que, du côté opposé dans la face d'une habitation qui ne reçoit pas le soleil, on pratique un petit soupirail, tous les objets éclairés enverront leur image par le soupirail et apparaîtront renversés [11]. »

Léonard de Vinci connaît le traité de Vitellione [12]. Celui-ci est le premier, selon Kircher, à avoir su transmettre au travers d'un orifice une image de l'extérieur à l'intérieur d'une chambre noire à l'aide d'un miroir « cylindre concave » (cylindro catoptrico concaao). Léonard de Vinci s'intéresse, aussi, dans ses Carnets, à la persistance rétinienne et décrit les illusions créées à l'aide de tisons embrasés. Il analyse également l'emploi du verre pour le report des paysages et suggère que l'artiste en place un devant un arbre, le reproduise dessus, et compare ensuite son dessin avec l'image réelle de l'arbre. Et il passe pour avoir inventé le condensateur, bloc optique qui fait converger la source lumineuse sur le point focal. Quant à la première description de la chambre noire, elle est due à Gianbattista Della Porta qui avait aupara-

vant, en 1550, équipé le dispositif d'une lentille bicon-
vexe pour en accroître la luminosité.

L'Allemand Johannes Zahn fait en 1701 une description très fouillée des chambres noires, dont beaucoup sont portables et servent aux peintres pour le
report fidèle des paysages. Zahn, de plus, remarque
dans son *Oculus artificialis* [13] que dans la chambre
noire, on voit les oiseaux voler et les hommes aller et
venir. Il cherchera alors à faire des projections animées, en contruisant des horloges transparentes qui
tiendront lieu de plaques à projeter. Sa remarque nous
donne une indication très importante. La chambre
obscure permet le report fidèle sur le drap de l'observation du paysage, du mouvement – d'autres diront
des couleurs aussi. Le résultat de l'illusion à obtenir
est ainsi connu dès le départ. La chambre noire se
trouve donc à l'origine du défi que les inventeurs
mettront deux siècles à relever.

Descartes lit le traité de Della Porta et envisage
alors, ce qui est peu connu, de construire des illusions
d'optique [14]. Mais c'est surtout dans sa description de
l'œil animal qu'il utilise le modèle de la chambre
noire. Une construction technique sert à mieux
comprendre un mécanisme biologique. Mais par un
effet retour, ce mécanisme biologique sert de base à
une nouvelle construction technique. « On ne peut
douter non plus, écrit-il, que les images qu'on fait
paraître sur un linge blanc, dans une chambre obscure,
ne s'y forment tout de même et pour la même raison
qu'au fond de l'œil. » Si le trou est nu, il y aura sur
le linge quelques images confuses et imparfaites, d'autant plus que celui-là sera plus large. Dans une argumentation très dense, Descartes montre comment cette
analyse du biologique féconde l'élaboration de l'artificiel. Les étapes de son constat sont les suivantes :
« La taille de l'image dépend de la distance de l'écran
au trou; l'image est inversée; une lentille dont on
équipe le trou de la chambre noire permet la mise au
point; la distance de mise au point dépend de la
distance qui sépare l'écran de la lentille et dépend

aussi de la forme de celle-ci; moins la lentille est courbe, plus la distance de mise au point est grande [15]. »
A terme, il a construit un œil artificiel et cet œil artificiel n'est autre chose qu'une salle de projection.

On possède ainsi le passage explicite de l'organe biologique à l'objet technique que constitue la chambre noire munie d'une optique.

La lanterne magique

Tout est alors là pour que l'on tente de simuler à la perfection l'image du sténopé [16]. L'effort se poursuivra jusqu'à l'invention du cinéma, quelque deux cents ans plus tard. Cette histoire est racontée par le menu dans *Mémoires de l'ombre et du son* [17]. Aussi ne retiendra-t-on ici que quelques éléments saillants. Un Danois, du nom de Walgensten, joue vers 1650 un rôle dont on découvre actuellement l'importance [18]. Contemporain des pères Kircher et Millet-Dechasles,

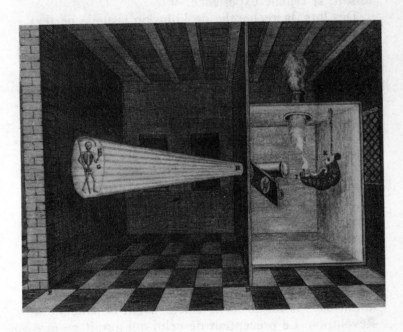

il organise à Lyon et à Rome des séances de lanterne magique. D'après Kircher, on lui doit l'idée de mettre sur une même plaque de verre plusieurs images. Walgensten serait donc à l'origine des longues plaques qui ont été largement utilisées pendant les siècles suivants. Mais Athanase Kircher est le personnage central de toute cette période, car sa codification de la lanterne magique est complète [19]. Il connaît bien tous les dispositifs optiques, la chambre noire en particulier. Son dessein explicite est d'y substituer la lumière artificielle à celle du soleil et de créer l'illusion en cachant la source de l'artifice. L'iconographie (cf. p. 31) montre une lanterne dissimulée dans la paroi d'un lieu sacré, ce qui permet d'y faire apparaître Dieu, les saints ou la Mort. La monstration a ici force de démonstration, ce qui permet à Kircher d'affirmer que si l'on dispose de quelques plaques, on peut démontrer ce que l'on veut. Ce qui n'empêche pas, à la même époque, les savants de se méfier de ce qu'on voit dans les lunettes, car on ne peut le toucher. Galilée en fit, comme on le sait, la cruelle expérience.

Dès lors, la recherche de l'illusion visuelle ne fera que s'accélérer.

Au XVIIIᵉ siècle, l'abbé Nollet, qui fut le précepteur de Louis XV, perfectionne le procédé de Kircher et nous rapporte deux inventions. L'une est celle d'un Allemand, Lieberkuyn, qui recourt à la lumière du soleil pour éclairer une lanterne dans laquelle il montre, au lieu de plaques peintes, des préparations de laboratoire, qui se trouvent considérablement agrandies. On voit ainsi, paraît-il, les puces grosses comme des moutons. L'autre invention est due à un Hollandais, du nom de Van Musschenbroek qui montre au savant, vers 1725, des plaques animées. Une petite manivelle permet de mouvoir, par poulies interposées, une petite plaque de verre sur laquelle sont peintes les ailes d'un moulin, dont la tour est représentée sur une autre.

S'ouvre alors une période féconde pour la projection lumineuse : la fin du XVIIIᵉ siècle, avant et pendant la Révolution. Le précepteur de celui qui aurait pu être

Louis XVII, le comte de Paroy, convainc la reine Marie-Antoinette d'utiliser pour le dauphin, la pédagogie des projections lumineuses. Le projet ne sera pas mené à terme, on s'en doute, mais sera repris quelque cent ans plus tard [20].

Dans l'histoire des projections, courant scientifique [21] et courant « illusionniste » [22] vont de pair. Un maître en l'espèce est Gaspard-Étienne Robert, dit Robertson. Personnage étrange, sur la vie duquel on commence à voir clair. Cet instituteur belge au nom anglicisé défraya la chronique en installant à Paris, au théâtre de l'Échiquier, un spectacle de « Fantasmagories ». On aimait alors les spectacles qui font peur. Robertson fut un jour impressionné par celui qu'il avait vu chez un artiste que l'on a oublié, Philidor [23]. Il en revint subjugué et monta un ensemble d'artifices dont un des plus importants fut une lanterne sur chariot. Il s'agissait en fait d'un dispositif voisin du travelling. Cela permettait, en faisant reculer rapidement la machine derrière l'écran, d'agrandir soudainement le spectre projeté. Robertson marqua profondément les esprits et il est considéré par beaucoup comme un des vrais précurseurs du cinéma.

Vers 1880, deux innovateurs diligents, Alfred Molteni et Stanislas Meunier, tentèrent de forcer la lanterne à projeter des séquences d'images animées. Molteni fabriqua ainsi des appareils qui avaient jusqu'à cinq objectifs superposés. On espérait alors représenter, par des fondus-enchaînés successifs, des tableaux animés. Mais la tâche était par trop complexe pour un rendement ridicule. « Monsieur Cinéma » n'était pas loin et interdit à jamais à la lanterne de sortir du rôle de passe-vues, qu'elle occupe encore.

La photographie

Jusqu'en 1875, on recourt à la plaque peinte pour représenter le sténopé, et il faudra en fait trois quarts de siècle pour que l'invention de Niepce et la technologie de la projection se rejoignent. Ce n'est qu'à cette date que l'on met au point le report de photographies sur verre. Le procédé connaît dans les dix années qui suivent un grand essor pour la diffusion des projections lumineuses. Il y a en 1880 huit éditeurs de plaques à Paris. Le catalogue de l'un d'eux, Molteni, ne contient, en 1884, pas moins de huit mille titres.

Vers la fin du siècle, Edweard Muybridge cherche à enregistrer et à décomposer le mouvement au moyen d'un fusil photographique de son invention. Le rapprochement entre l'armurerie et la photographie est à noter, il tient sans doute à ce que l'armurerie est une technique qui inclut la visée ainsi que la répétition. Janssen, qui s'intéressa aussi au phonographe, mit au point un revolver photographique, plus proche d'un canon par la taille. Marey et Muybridge conçurent tous deux un fusil photographique et « mitraillèrent » – l'expression est restée – athlètes et chevaux au galop. Mais l'inventeur de l'instantané est Muybridge. Avant lui, la pose est de rigueur. Il propose alors à Edison d'articuler son système avec le phonographe, pour reconstituer le mouvement d'un sujet et le bruit qu'il fait. On était alors très proche de l'illusion cinématographique.

Une constellation d'inventeurs puisant dans la photographie et dans les techniques d'animation étaient alors, eux aussi, à la recherche de la simulation du mouvement. L'Américain Le Roy, puis les frères Auguste et Louis Lumière furent les réalisateurs les plus connus des premières caméras et des premières projections.

« Voir en relief »

On ne peut quitter le domaine de la phonographie sans évoquer la stéréoscopie, technique délibérément consacrée à la recherche de l'illusion du relief. La première description de la vision binoculaire se trouve

34

chez Euclide. Le mathématicien grec se demandait pourquoi nous croyons voir avec nos deux yeux un objet unique. Il pense que c'est dû à la très grande rapidité de parcours et à la simultanéité d'impressions des deux images. Toute une lignée de savants s'intéressa au dispositif, en particulier Gianbattista Della Porta qui s'attacha à représenter de façon très exacte ce que voit chaque œil. Le physicien anglais Wheatstone, connu aussi pour ses travaux sur le télégraphe électrique, inventa le stéréoscope, qu'il présenta en Angleterre en 1838. L'appareil fut perfectionné par Sir David Brewster, inventeur par ailleurs du kaléidoscope. Le procédé ne rencontra pas de succès outre-Manche et Brewster vint en France le présenter à diverses personnalités qui eurent un rôle important dans l'histoire des projections lumineuses : MM. Soleil, Dubosq et l'abbé Moigno. Ce dernier décida de faire connaître l'appareil à ses savants collègues mais alla de déboire en déboire. Il le montra en premier à Arago qui, atteint de diplopie, voyait double et était par conséquent insensible au charme de l'appareil. L'abbé consulta ensuite un autre membre de la section de physique de l'Institut, un dénommé Félix Savart, qui, lui, était borgne. Becquerel, consulté ensuite, était atteint de la même infirmité. L'abbé Moigno se rendit ensuite au Conservatoire national des arts et métiers pour présenter l'appareil à un certain M. Pouillet qui, lui, était atteint de strabisme. Le Pr Biot, du Collège de France, refusa ensuite d'admettre l'existence du procédé. Sa cécité, tout intellectuelle cette fois-ci, était nécessaire à sa théorie de la vision, incompatible avec le procédé [24].

C'est finalement, au terme de cette course d'obstacles, le physicien Regnault qui fut charmé des effets du stéréoscope et en fut le grand défenseur.

La recherche de l'animation

La recherche de l'animation des images s'étend à peu près sur un millénaire, c'est-à-dire le temps qui sépare Al Haitam de Louis Lumière. L'observation de départ est celle de la persistance rétinienne, dont on suppose d'abord l'existence, que l'on démontre ensuite, avec laquelle on joue enfin. Le feu s'exerce sur les couleurs et sur les représentations picturales, tant qu'on n'a pas l'idée de la représentation photographique. La jonction est d'ailleurs tardive et se fait, comme on l'a vu, grâce à E. Muybridge.

Le tison enflammé et la toupie lumineuse sont les premiers dispositifs d'animation. Aristote aussi bien que Léonard de Vinci se sont émerveillés de l'illusion de cercle lumineux que l'on crée en faisant tourner rapidement une branche embrasée. Il en est de même pour la toupie coloriée, attribuée à Al Haitam, qui conduisit à la roue de Newton. On s'en tenait au constat, jusqu'à ce que le physicien anglais fournisse une hypothèse sur la persistance rétinienne et conçoive, pour la tester, une roue comprenant sur ses différents segments les couleurs de l'arc-en-ciel. A grande vitesse, le spectateur voit un disque uniformément blanc. Le chevalier d'Arcy mesure le premier au XVIIIᵉ siècle la persistance rétinienne. Il détermine le temps de rotation nécessaire pour qu'un charbon ardent qui tourne sur une roue dans l'obscurité donne l'illusion d'un cercle lumineux : il fixe la durée de la persistance rétinienne à treize centièmes de seconde.

Le physicien liégeois Joseph Plateau met au point à la même époque un procédé similaire dont il tire un jouet, le phénakistiscope. De 1822 à 1895, une dizaine de dispositifs procéderont de cette volonté de simuler de mieux en mieux le mouvement. Différentes machines apparaissent, fondées sur le principe de la roue de Faraday : un cylindre muni de fentes tourne autour d'un axe et, en regardant au travers des fentes, on voit s'animer les figurines qui en tapissent l'intérieur. Le procédé est ensuite combiné, en 1880, avec celui de la projection, c'est le praxinoscope de Reynaud.

Reynaud conçoit aussi la même année son « théâtre optique ». L'originalité réside dans l'utilisation d'une bande continue de longueur variable sur laquelle figurent des personnages aux mouvements décomposés. C'est une invention déterminante. En effet, le tambour du zootrope et les plaques de lanterne magique ne contiennent qu'un nombre fixe d'images. Grâce à Émile Reynaud ce nombre d'images est désormais variable et rien n'empêche désormais d'en augmenter considérablement le nombre. De ce point de vue, c'est lui le véritable inventeur du film.

E. Muybridge, en 1880, avec ses appareils en batterie pour photographier un cheval au galop, J. Marey, en 1891, avec son fusil photographique, Edison, en 1894, avec le kinétoscope, associent la photographie à l'acquis antérieur. Pour eux, la représentation du mouvement ne relève plus de l'art du dessinateur mais de l'enregistrement photographique. Edison réalise le kinétoscope, qui a un succès de curiosité. La mécanique feuillette rapidement des centaines de photos prises en séquences. le rendu est analogue à celui d'un film, mais le procédé est pesant. De plus, il n'y a pas de projection possible. Le spectateur doit regarder dans l'appareil. L'Américain Le Roy met au point le premier projecteur de cinéma. La première séance a lieu 16 Beekan Street, à New York, le 5 février 1894. Un problème technique subsiste, celui du défilement saccadé de la pellicule pour que l'enregistrement et la vision aient lieu image par image. Par une nuit d'insomnie, Louis Lumière trouve la solution. Il adapte à la caméra le pied-de-biche d'une machine à coudre et substitue à l'aiguille une griffe qui assure le déplacement intermittent de la pellicule. La « croix de Malte » fut adaptée en 1896 aux projecteurs [25].

Il faudrait, dans une histoire générale de l'image lumineuse, parler ensuite des travaux d'Alexeieff qui en 1932 propose l'écran à épingles : une image et ses grisés y sont représentés par des milliers de têtes d'épingles qui préfigurent les pixels, minuscules pastilles lumineuses de nos tubes cathodiques. Il faudrait parler de l'invention de la télévision, de l'évolution du cinéma, du 35 mm, du 70 mm, de l'hypergonar du

Pr Chrétien qui permit le cinémascope, et aussi de son concurrent malheureux, Jules Hourdiaux, qui mit au point un autre procédé de cinéma hémisphérique. Il faudrait mentionner les modernes géodes qui mettent le spectateur au centre d'un écran sphérique, ne pas oublier le cinéma holographique. On pourrait enfin évoquer les systèmes de télévision à haute définition, européens ou japonais, qui donnent sur le verre lumineux une image d'une beauté saisissante. Il faudrait aussi parler de l'image de synthèse créée par ordinateur qui nous fait évoluer dans un monde de formes imaginaires, parfois très proches du réel, comme les images fractales.

On verrait alors que depuis Appolonios de Tyane et Al Haitam, une lignée d'inventeurs traverse l'histoire. Leur projet est de duper de mieux en mieux le sens de la vue. Tous connaissent les travaux de leurs prédécesseurs et constituent ainsi une sorte de phyllum dont la raison d'être est la technologie de l'illusion.

Il en est de même pour la reproduction artificielle de la parole et des sons.

Les machines sonores

Les machines à reproduire la parole sont le fruit, elles aussi, des travaux d'une longue lignée d'inventeurs. Pour bien des applications, elles ont fusionné avec les machines à produire les images. Dans l'histoire des machines sonores, les machines à stocker les sons et à les transmettre à distance, phonographes et téléphones, ont une place particulière. Contrairement à la plupart des instruments de musique, elles sont récentes; et elles sont de nature différente, car elles ne créent pas le son, mais le conservent, le reproduisent et le transmettent. La proximité de leur genèse fait que nous disposons d'informations sur les tâtonnements précédant leur invention ainsi que sur les réflexions et projets de leurs auteurs.

La captation et la reproduction des sons ont constitué un grand moteur de recherche depuis que Rabelais a imaginé le dégel des bruits d'une bataille. Cyrano de Bergerac, quant à lui, dans son *Histoire comique des États et des Empires de la lune,* inventera le « walkman » avant la lettre : « C'est un livre à la vérité, mais c'est un livre miraculeux qui n'a ni feuillets ni caractères. Enfin c'est un livre où, pour apprendre, les yeux sont inutiles; on n'a besoin que d'oreilles. »

« Quand quelqu'un donc souhaite lire, il bande, avec une grande quantité de clefs, cette Machine, puis il tourne l'aiguille sur le chapitre qu'il désire écouter, et au même moment il sort de cette voix comme de la bouche d'un homme, ou d'un instrument de musique, tous les sons distincts et différents qui servent, entre les grands Lunaires, à l'expression du langage. »

Plus loin, il ajoute : « Vous avez éternellement autour de vous tous les grands hommes et morts et vivants qui vous entretiennent d'une voix [26]. »

Plus prosaïquement et bien avant l'époque de Rabelais et de Cyrano, les prêtres bouddhistes utilisaient des perroquets pour réciter des mantras. La reproduction artificielle de la parole trouve son origine mythique dans la croyance, aussi bien chez Kircher que chez d'Alembert, en l'existence d'une tête d'or très ancienne qui aurait parlé.

La longue préhistoire de l'enregistrement du son est pleine d'embûches et de fausses pistes. Le phonotaugraphe de Scott en fut une. Le fait que l'on puisse voir sur un cylindre enduit de noir de fumée les courbes engendrées par le son avait de quoi fasciner. Mais il était hélas impossible de faire marcher la machine dans l'autre sens, c'est-à-dire de reconstituer le son, puisque la trace inscrite par le stylet n'avait ni épaisseur ni solidité. On n'y pensait d'ailleurs pas, n'imaginant pas que l'aiguille du dispositif pût avoir un rôle de lecture. Autre piège que celui de l'aiguille qui servait à perforer le papier : le télégraphe fonctionnait en effet selon le principe du tout ou rien : un trou, un code, pas de trou, rien, alors que la voix est constituée d'une série de modulations qui ne pouvaient être représentées ainsi à l'époque.

Charles Cros fut le premier à conceptualiser un autre rôle pour l'aiguille : inscrire des modulations dans une matière adéquate par une gravure en creux. Edison l'avait découvert empiriquement en observant que le stylet lisant une bande télégraphique perforée défilant à grande vitesse engendrait une sorte de musique par frottement.

Les compétences techniques de Charles Cros étaient reconnues. Il avait mis au point un télégraphe qui lui avait valu des éloges, conçu le principe de la photographie en couleurs. Mais il était par ailleurs poète et surprenait les savants contemporains par la diversité de ses centres d'intérêt [27]. Il se fit devancer dans la construction du phonographe par Thomas Edison qui, aidé de son adjoint, Kruesi, le breveta et en fit la démonstration dès 1877 [28]. Le phonographe fut le héros de l'Exposition universelle qui se tint à Paris en 1889. En France, la commercialisation commença en 1893 avec Lionel, et se poursuivit avec les frères Charles et Émile Pathé qui créèrent leur société en 1896. La Deutsche Grammophon Gesellschaft, fondée en 1898 par Émile Berliner, s'enorgueillissait d'un catalogue qui, en 1901, contenait déjà plus de cinq mille enregistrements. Aujourd'hui, on estime à un milliard la production annuelle de microsillons dans le monde. La recherche d'un son de plus en plus pur, d'une reproduction toujours plus fidèle de la voix continue de nos jours. La voix, comme l'image, sont maintenant reproduites en informations digitales, lesquelles deviennent le dénominateur commun de leur transcription.

Télégraphes et téléphones

Aussi bizarre que cela puisse paraître, le télégraphe est un ancêtre des machines sonores. Il en est de fait le précurseur et la plupart des savants qui s'intéressaient à l'époque à l'enregistrement du son ont préalablement travaillé à son perfectionnement. C'est vrai de Charles Cros, de Théodore du Moncel, de Graham Bell et de Thomas Edison, qui fut télégraphiste à onze ans.

En 1844, le télégraphe optique de Chappe desservait en France 29 villes, relayées par 534 stations, ce qui constituait un réseau de cinq mille kilomètres. L'alphabet Morse, combinaison de points et de traits pour représenter les caractères de l'alphabet, est mis au point en 1843. Chacun rêve alors d'électrifier la transmission télégraphique.

Par une sorte de fatalité scientifique, Cros et du Moncel suivent le même chemin intellectuel. Du Moncel devient un spécialiste incontesté du télégraphe et en suit pas à pas les progrès. Ingénieur électricien de l'Administration des lignes télégraphiques, il invente en 1872 un télégraphe imprimeur ainsi qu'un système de télégraphe sous-marin. Devenu académicien, il est le rapporteur incontournable de tout ce qui a trait au télégraphe. L'enjeu est d'importance et lors de l'Exposition universelle de 1867, on envisage d'installer des câbles transatlantiques sous-marins.

Le concept de télégraphe sert indiscutablement de base à l'invention du téléphone. C'est Charles Bourseul, polytechnicien, directeur des Postes du département du Lot, qui a l'idée de son principe en 1854. Constatant que le télégraphe peut transmettre des signaux en Morse, il émet l'hypothèse qu'il peut transmettre les sons constituant la voix. Du Moncel publie son idée en 1857 dans son *Exposé des applications de l'électricité* [29], mais, pour une raison inexpliquée, ne donne que les initiales de l'inventeur – Charles B. – et n'en dira jamais davantage. Bourseul définit ainsi le téléphone : « Imaginez que l'on parle près d'une plaque mobile, assez flexible pour ne perdre aucune des vibrations produites par la voix; que cette plaque établisse et interrompe successivement la communication avec une pile. Vous pouvez ainsi avoir à distance une autre plaque qui exécutera en même temps les mêmes vibrations. » Et il conclut : « En tout cas il est impossible de démontrer dans l'état actuel de la science que la transmission électrique des sons est impossible [30]. »

Mais le télégraphe ne travaillant qu'en tout ou rien, la transmission simultanée de la hauteur, du timbre et de l'intensité de la voix est impossible. Charles Bourseul n'est pourtant pas loin de l'invention. Un Allemand, Philippe Reis, reprend le flambeau et construit ce qu'on a appelé le « télégraphe chantant », sorte de microphone constitué d'un cône guidant les sons vers une membrane reliée à un interrupteur. Les ondes le font vibrer et, à l'autre bout du fil, une aiguille nichée dans une bobine vibre à la même fréquence.

Il faut se tourner vers Graham Bell pour arriver à l'invention du téléphone. La famille Bell se consacre à l'éducation des sourds-muets. Graham devient professeur de physique vocale à Boston en 1873 et commence alors ses recherches, à l'instar de Philippe Reis, sur la transmission de la voix par le télégraphe. Il découvre alors l'existence de courants à l'intensité variable qui permettent, contrairement à ceux qui sont utilisés pour le télégraphe, la transmission de phénomènes ondulatoires. Mais les essais sont tâtonnants. C'est à cette époque – nous sommes en 1875 – qu'un homme d'affaires très important, Hubbard, vient le trouver pour lui soumettre le cas de sa fille qui est devenue sourde-muette à la suite d'une longue maladie. La malade devient bientôt Mme Bell et, dès lors, l'idée qui oriente la recherche devient celle d'une prothèse pour la communication. Bell le dit expressément. « J'ai fait parler les muets et vous verrez que je saurai donner la parole aux fils. »

Le 14 février 1876, Graham Bell prend un brevet de principe, dans lequel est décrit le téléphone : la voix fait vibrer une membrane, à laquelle est attachée une pièce métallique placée devant un électro-aimant. Les ondes sonores engendrent des variations de courant par induction, qui sont transmises à un récepteur qui fonctionne de la même façon, mais en sens inverse. Le courant arrive dans un électro-aimant et crée une aimantation variable qui attire ou rejette une pièce métallique, laquelle fait résonner la membrane.

Les machines réversibles

La fin du XIXᵉ siècle est un moment remarquable pour la technologie de la communication. Elle produit en effet des machines totalement réversibles. Peu de temps auparavant d'ailleurs, il en fut de même pour l'électricité. En 1873, Hippolyte Fontaine présenta, dans la capitale autrichienne deux machines dynamo-électriques, l'une pour produire de l'électricité, l'autre, de la force. On s'aperçut alors que dynamo et moteur électrique étaient deux fonctions d'un même appareil qui dépendaient en fait de l'énergie d'entrée. Était-ce un moteur à gaz qui l'entraînait, la machine produisait alors du courant. Était-ce l'électricité, elle se transformait alors en moteur.

Quelques années plus tard, en 1877, le téléphone était lui aussi conçu comme une machine réversible. Le microphone, que l'on appelait alors téléphone, ou encore transmetteur à charbon, pouvait également servir d'écouteur. La même année, le phonographe que présentait Edison avait la même propriété. Il pouvait indifféremment servir à la lecture ou à l'enregistrement. Et ce fut la même chose pour le projecteur de cinéma, dont les frères Lumière s'aperçurent bientôt qu'il pouvait servir de caméra. Il suffisait d'ôter la lampe et de remplacer le film développé par une pellicule vierge.

Le XIXᵉ siècle est en effet le grand siècle de la communication, celui qui connut des innovations majeures : comment voir le son, comment enregistrer le fil de la parole, comment établir des liaisons télégraphiques par-delà les océans... autant de questions qui semblaient auparavant insolubles. Si l'on y songe bien, les câbles sous-marins qui sont installés alors supposent une réflexion aussi puissante que celle qui conduit à installer les mêmes liaisons par la voie de satellites.

Doubles passions

La réflexion sur la terre, le soleil et l'espace revient fréquemment dans les œuvres des inventeurs de machines pour la communication. Le soleil est bien la première source lumineuse, celle à partir de laquelle on imagine des procédés de réfraction, de projection puis de simulation. Ce que nous appelons « espace » et « communication » constitue deux domaines indissociables dans le rapport magique que nous entretenons avec le monde.

De nombreux savants se sont intéressés à l'un et l'autre sans percevoir toujours le lien initial qui les réunissait.

Le traité d'Al Haitam *Opticae thesaurus, Alhazeni Arabis...* contient déjà un livre traitant des crépuscules et des ascensions des nuages.

Léonard de Vinci développe l'usage de la chambre noire et imagine l'avion, qu'invente aussi le père Mersenne un peu plus tard. « *Hic habemus egregium mechanicum qui sibi pollicetur se volantem machinam facturum, qua hinc Constantinopolim usque spatio unius diei volare possit* [31]. »

L'auteur de *L'Harmonie universelle,* cherchant à calculer la vitesse du son, démontre en 1625, grâce aux expériences qu'il a faites chez ses amis d'Ormesson à Montmorency, que l'écho ne peut pas répondre par d'autres paroles que celles que l'on prononce. Et il conçoit aussi le télégraphe : « Si l'on establissoit des postes de son depuis Rome jusqu'à Paris, l'on pourroit avoir d'heure en heure des nouvelles de tout ce qui s'y passe, car le son n'emploie pas 55 minutes à faire 300 lieues [32]... »

Dans les siècles qui suivent, l'aérostation passionne de nombreux inventeurs. Gaspard-Étienne Robertson se passionne pour les montgolfières et décroche un record d'altitude à Hambourg en 1803. Il emporte dans la nacelle des instruments pour faire des expériences scientifiques. Félix Nadar emporte sa chambre photographique et fait, en 1858, les premières photos aériennes au-dessus de Bièvres. Jules Janssen et Camille Flammarion, tous deux astronomes, sont des pionniers, l'un du phonographe, l'autre, des projections lumineuses. Avant d'être un des inventeurs de l'avion, Clément Ader est un pionnier du téléphone. Il veut à tout prix convaincre de son utilité le président de la République d'alors, Jules Grévy, qui est sceptique. Profitant d'une de ses absences, Ader installe un combiné dans son bureau. Et Akio Morita, le fondateur de Sony, estime que la communication et l'aérospatiale seront des facteurs de survie pour l'humanité dans le siècle à venir [33].

Même dualité en ce qui concerne la vision et l'ouïe. Nombreux sont les cas de double passion, au point que l'on ne peut pas penser qu'il s'agisse d'un hasard. Beaucoup en effet s'intéressent en parallèle, sans voir le lien qui nous est familier, aux techniques de l'image et du son. Vinci, qui travaille sur la chambre noire et sur les automates musicaux. Kircher, qui codifie la lanterne et écrit un traité sur les machines musicales. Plus près de nous, ce sont Cros, qui met au point photographie en couleurs, en compétition avec Ducos de Hauron, et phonographe, en compétition avec Edison, lequel travaille aussi sur l'animation de l'image. Edweard Muybridge lui suggère d'associer photos instantanées projetées et phonographe. Ce n'est qu'à ce moment-là que s'opère l'intégration et que les inventeurs relient explicitement image et son.

Les lignées de reproduction artificielle de l'image et du son, jusqu'à la fin du XIXᵉ siècle, sont en effet parallèles et ne se rejoignent pas. Ce qui ne veut pas dire que les projections soient muettes. Il y a des commentaires de forain, des musiques d'orgues de barbarie, des grondements de tonnerre, des explosions : la salle de projection est sonorisée mais l'artifice ne se cache pas, sinon dans l'orgue, dans le son mécanique. Ces lignées différentes sont portées par les mêmes hommes. Cros est ici, Cros est là, mais ne fait pas le lien. Cela permet de dater avec précision le moment décisif de l'intégration. Elle est très récente. C'est le kinétoscope que Muybridge et Edison construisent, puis la sonorisation par cylindres enregistrés lors du tournage des premiers films avant la guerre de 14. C'est le vidéodisque de Baird et le cinéma parlant, et, dernier en date, le magnétoscope.

Anticipations

Quelques inventions s'avèrent très en avance sur leur temps.

Dès 1878, on s'intéresse à la transmission de l'image par téléphone. On expérimente alors la transmission de la photographie de bandits recherchés. On projette une photo sur un écran que l'on balaie avec un crayon de sélénium. Intercalé dans une ligne téléphonique, il excite à distance un stylet inscripteur par variation d'intensité du courant. C. Colin, journaliste au *Magazin pittoresque* [34], qui décrit en 1881 le dispositif appelé téléphiste, suggère que celui-ci, « combiné avec le téléphone, parviendra peut-être à supprimer l'absence ».

D'autres appareils, encore plus curieux, concernent la transmission de la voix. L'un recourt pour cela à l'emploi du rayon lumineux. Il s'agit du photophone inventé par Graham Bell et Samuel Tainter. Le rapporteur de l'invention, Antoine Breguet, en précisait ainsi l'objectif en 1880 à l'Académie des sciences : « Placer dans un même circuit un téléphone ordinaire, une pile et une surface de sélénium [...] afin d'entendre dans le téléphone, pour ainsi dire, toutes les variations d'un rayon de lumière projeté sur le sélénium [35]. »

On avait découvert, peu auparavant, les propriétés remarquables de ce corps, qui présente une résistance plus faible au passage du courant électrique lorsqu'il est exposé à la lumière que lorsqu'il est plongé dans l'obscurité. Le photophone comprend un microphone, terme qui désigne à l'époque une sorte d'entonnoir relié par un tuyau à un diaphragme, dont la surface externe est un miroir concave réfléchissant. Lorsqu'on parle, ce miroir vibre. Un rayon lumineux, projeté sur lui, est réfléchi et dirigé vers un récepteur parabolique dans le foyer duquel se trouve du sélénium traversé par le courant d'une pile électrique. M. Bell, nous dit le rapporteur, a ainsi cru percevoir des sons à plus de deux kilomètres. Une expérience concluante aurait été faite à Washington sur deux cent treize mètres. Ces expériences, en général oubliées, montrent que, dès 1880, on songeait à supprimer le fil pour la transmission. Mais pour que le rayon lumineux ne diverge pas, il faut une lumière cohérente que l'on trouve de nos jours dans le laser.

Le rôle de l'Opéra

Un autre procédé original de transmission de la voix fut effectivement utilisé lors de l'Exposition électrique de 1881, puis de nouveau lors de l'Exposition universelle de 1889. Il concernait la transmission téléphonique en stéréophonie d'un concert ou d'un opéra. L'inventeur en fut Clément Ader, dont nous avons gardé le souvenir en tant que pionnier de l'aviation, alors qu'il le fut aussi pour les télécommunications. Le but était de faire écouter en direct des spectacles joués à l'Opéra ou à l'Opéra-Comique à des auditeurs qui se trouvaient dans un pavillon de l'exposition. Ils avaient deux salles à leur disposition. L'une était affectée à l'écoute de l'Opéra et l'autre à celle de l'Opéra-Comique, lorsqu'il y avait des représentations, naturellement. Chaque auditeur disposait de deux écouteurs. Chaque salle comprenait trente paires d'écouteurs.

Rendons-nous sur la scène de l'Opéra : « Les transmetteurs [microphones] sont ceux qui fonctionnent pour la correspondance ordinaire et particulière [c'est aussi Ader qui les a inventés]. Ils sont placés au nombre de dix, de chaque côté de la boîte du souffleur [36]. »

Les transmetteurs sont groupés par paires, l'un étant sensiblement éloigné de l'autre, et séparé de lui par le trou du souffleur. Clément Ader précise ainsi la raison de son montage. « Le chanteur n'est pas immobile sur scène. Il passe fréquemment de l'un à l'autre côté de la rampe... Supposons que le chanteur se trouve à droite du souffleur, la voix actionnera le microphone transmetteur de droite plus énergiquement que celui de gauche, et l'oreille droite de l'auditeur sera plus vivement impressionnée que celle de gauche. »

Le rapporteur de l'invention conclut que grâce à ce dispositif, on assiste littéralement à une représentation de l'Opéra. A Clément Ader revient donc sans conteste le titre d'inventeur de la stéréophonie, forme supérieure de l'illusion sonore.

L'examen des inventions sonores au XIXᵉ siècle met en relief l'importance de l'Opéra, méconnue de nos jours en France. C'était la référence, à l'époque, en matière de sonorité, de musicalité, de talent. L'Opéra inspire Nadar qui imagine son daguerréotype acoustique, dont il commente ainsi l'usage dans son ouvrage, publié en 1864, les *Mémoires du Géant* : « Je m'amusais, dormant éveillé il y a quelque quinze ans, à écrire dans un coin ignoré qu'il ne fallait défier l'homme de rien et qu'il se trouvait un de ces matins quelqu'un pour nous apporter le Daguerréotype du son – le phonographe –, quelque chose comme une boîte dans laquelle se fixeraient et se retiendraient les mélodies, ainsi que la chambre noire surprend et fixe les images – si bien qu'une famille, je suppose, se trouvant dans l'impossibilité d'assister à la première représentation d'une *Forza del Destino* ou d'une Africaine quelconque, n'aurait qu'à députer l'un de ses membres, muni du phonographe en question.

Et au retour :

– Comment a marché l'ouverture?

– Voici!

– C'est fort bien. Et le final du premier acte, dont on parlait tant d'avance?

– Voilà!

– Et le quintette?

– Vous êtes servi. A merveille. Ne trouvez-vous pas que le ténor crie un peu trop? »

C'est Thomas Edison qui met au point et perfectionne le phonographe en raison de sa prédilection pour l'Opéra – ce qui lui permet de remarquer que l'enregistrement constitue un test impitoyable pour la voix, car la présence physique, le charme, le charisme de la cantatrice ne peuvent voler à son secours.

Un des premiers zélateurs de cette nouvelle technique sera le compositeur Charles Gounod, dont on entendit à l'Académie des sciences l'*Ave Maria,* chanté et accompagné par lui, enregistré sur l'appareil d'Edison. Le compte rendu de la séance rapporte ainsi l'enthousiasme du musicien : « Que je suis heureux de n'avoir pas fait de fautes! Comme c'est fidèle, mais c'est la fidélité sans rancune; et qu'est-ce qui accomplit tout cela? Quelques petits morceaux de bois, de fer [37]... »

L'ère des enchevêtrements

A la fin du XIXᵉ siècle, tout un milieu se passionne pour ces machines. On commence à associer l'image et le son. Le nombre croissant d'inventeurs et le décloisonnement des techniques sont à l'origine de leur enchevêtrement contemporain.

La cinématographie connut de nombreux perfectionnements : cinéma parlant, cinéma en couleurs, cinéma sur grand écran. Aujourd'hui, dans les modernes géodes, on assiste à l'avènement de l'écran total. Le cinéma recourt lui aussi de plus en plus à l'informatique. Grâce à la caméra pilotée par ordinateur, chaque photogramme d'un film a un code qui l'identifie. Il est donc possible de faire de multiples surimpressions avec la plus grande précision : c'est ce qui a permis les trucages nouveaux de Lucas et Spielberg.

L'informatique fait irruption dans l'histoire de l'audiovisuel par la création d'images de synthèse. Whitney, dès 1960, réalisa des films dont certaines images étaient créées par un calculateur analogique. Ivan Sutherland fut parmi les premiers à connecter un ordinateur avec un écran vidéo. Les cinéastes Norman McLaren et Peter Foldes en firent très tôt usage. *Tron* fut le premier film à y recourir dans sa quasi-totalité. S'il existe une technologie de l'illusion, c'est bien celle-là, tant les chercheurs s'attachent à reproduire le naturel par une formalisation de type mathématique. Les paysages extraordinaires que fournit le calcul fractal en sont un exemple frappant [38]. Mais c'est surtout la télévision qui se sert du procédé. Elle s'est également informatisée et les images qu'on manipule en régie sont désormais des combinaisons de codes numériques.

En 1927, l'Écossais John Logie Baird réalisa le premier enregistrement d'un signal vidéo sur un disque tournant à 78 tours-minute. Il fonde ainsi le principe du vidéodisque dont la définition était de trente lignes pour 12,5 images-seconde.

Après une longue absence, le vidéodisque réapparaît en 1970 avec le dispositif Teldec [39]. Lancé en 1975, il connaîtra un échec commercial. Le dispositif Philips est au point depuis le début des années 70 [40]. Le disque laser, lui, a fait une irruption plus rapide sur le marché.

Quant au principe du magnétophone, il fut établi par Charles Cros, et de façon fort poétique. L'auteur du *Coffret de santal* raconte qu'il fut frappé par l'expression « le fil du discours » et qu'il imagina que l'on puisse conserver la parole sur un fil. Le premier appareil connu fut le télégraphon, présenté lors de l'Exposition universelle de 1900 à Paris [41]. Mais le succès du phonographe le fit passer inaperçu.

La transmission hertzienne vint rapidement féconder les autres lignées. La première liaison TSF fut réalisée en 1901 entre Terre-Neuve et la Cornouaille, mais il faut attendre 1915 pour que la voix humaine soit transmise, entre Arlington aux USA et la tour Eiffel : jusqu'alors, ce ne sont que des codes télégraphiques. Les premières émissions radiophoniques régulières commencent à Pittsburgh en 1918. La première transmission d'image par voie hertzienne a lieu en Grande-Bretagne en 1928. En 1931, a lieu à l'École supérieure d'électricité [42] à Malakoff, près de Paris, la première démonstration convaincante de télévision. Le tube cathodique est opérationnel en 1936 [43]. Il faut attendre 1956 pour voir apparaître le premier magnétoscope à tête rotative [44], et 1969, le premier magnétoscope qui enregistre la couleur [45].

Il faut enfin parler de l'informatique. Les précurseurs – Raymond Lulle, qui cherche à simuler le raisonnement humain, puis Léonard de Vinci, Pascal et Leibnitz, qui veulent automatiser le calcul – sont guidés par un autre artifice que ceux qui travaillent sur les machines à communiquer. Les seconds veulent simuler les sens, les premiers, le raisonnement. Pour les automaticiens du XVIII⁰ siècle, il s'agit des deux à la fois puisque le projet n'est rien moins que de créer un homme artificiel [46]. Mais la lignée du calcul reprend le dessus. Charles Babbage et Ada Lovelace, la seule femme rencontrée dans cet ensemble d'inventeurs, tentent au milieu du XIXᵉ siècle de créer une machine mécanique pour résoudre des équations. Ils échouent dans leur projet. L'invention de la triode [47] en 1906 rend désormais possible la communication électronique. John Presper Eckert et John William Mauchly posent le principe de la calculatrice en 1942. Elle est destinée à calculer les trajectoires de missiles et détermine de ce fait le sens de l'usage de l'outil, tout comme la conquête de l'Ouest a servi de support au développement du télégraphe et du téléphone. Le concept de calculatrice universelle est posée par Von Neuman en 1945, dans un livre retentissant, *Computer as a Brain*.

Avant l'apparition du microprocesseur, on tente d'utiliser l'ordinateur pour la traduction automatique des langues. Les textes journalistiques de l'époque imaginent que l'ordinateur interviendra aisément pour faciliter la communication entre deux personnes ne parlant pas la même langue. Comme on le sait aujourd'hui, cela est irréalisable, à cause du système linguistique propre aux langues naturelles.

Terminons cet aperçu en évoquant la synthèse de la parole, dont des applications se rencontrent quotidiennement, dans le jouet, dans les voitures, dans les ascenseurs. Nous sommes désormais accompagnés, voire guidés, dans le quotidien par la voix des automates. Des projets très ambitieux sont en cours. Ainsi l'équipe de Pierre Boulez cherche-t-elle à simuler la voix d'une cantatrice.

Au siècle dernier, il y avait peu d'inventeurs et peu de techniques. Aujourd'hui, la situation a radicalement changé, à cause de la grande disponibilité des techniques informatiques et audiovisuelles, et de leur modularité. On peut se procurer aisément de nos jours des blocs et des logiciels qui contiennent une logique très élaborée pour synthétiser une voix ou analyser une image. Chacun peut donc, s'il en a le goût, devenir inventeur et chercher, comme ses ancêtres intellectuels, à construire des simulacres de plus en plus parfaits. Aussi est-il impossible de dresser aujourd'hui le catalogue de ces inventions. Catalogue dont la nouveauté serait également trompeuse, car il ne s'agit, dans la plupart des cas, que de l'exploitation de nouvelles combinaisons.

II

Machines à réguler

La machine à communiquer, au sens que lui donne en 1970 Pierre Schaeffer, enregistre, stocke et redistribue les images et les sons.

La notion fondamentale qu'il introduit dans cette définition est celle de simulacre : « Ce que ces appareils ont en commun, c'est de manipuler ce qu'on pourrait nommer aussi bien des " empreintes " de l'univers à trois dimensions que les " simulacres " d'une présence temporelle : l'image électronique éphémère, tout comme l'image que fixe la pellicule de cinéma, l'image sonore fixée par le disque ou la bande magnétique, ou transmise sans enregistrement par la chaîne électro-acoustique, qui va du micro au haut-parleur, ne sont pas, quoi qu'on puisse dire, des reproductions du réel. Ce sont des trompe-l'œil, des illusions non d'optique mais d'existence. »

Ce n'est pas la voix que l'on entend au téléphone mais une reconstitution plus ou moins fidèle, privée de surcroît de gestes qui l'accompagnent. Ce n'est pas le Premier ministre que l'on voit à la télévision, mais un agencement de points lumineux sur l'écran cathodique et il apparaît en plus ou moins bonne forme selon l'incidence des projecteurs sur son visage. Les machines à communiquer produisent des simulacres – « apparences », dit le Petit Robert – qui se donnent pour réalité. L'archétype de la machine à communiquer, on l'a vu, s'est forgé au XIXᵉ siècle à côté de ceux de la machine électrique et de la turbine à vapeur. C'est un assemblage mécanique, comme le phonographe, ou électromécanique, comme le téléphone qui capte, stocke et transmet ces productions humaines que sont la voix et la musique. Il y a pour la première fois inscription de la parole et de la réalité visible dans la matière par l'artifice mécanique. Cette dualité de la production sensible et du support physique anticipe celle de logiciel et de matériel existant aujourd'hui en informatique.

Il convient de se débarrasser tout de suite d'un mythe : les machines à communiquer n'atténuent pas les difficultés inhérentes à la communication humaine.

La communication directe entre les êtres et des groupes s'opère de multiples façons, par échanges de paroles et de silences, de gestes, d'odeurs, de codes vestimentaires, de rituels. Malgré de multiples vecteurs, le message ne passe pas toujours. L'école de Palo Alto en fait la démonstration [1]. Le message n'est pas toujours perçu de la façon que souhaite celui qui l'émet. Déçu, il comprend de travers à son tour la réponse qui lui est faite. Et ainsi de suite. Le quiproquo, certaines scènes de ménage sont des instances caractéristiques de la non-communication.

Les machines à communiquer n'ont pas pour propos d'atténuer cette difficulté. Il faut parfois ânonner péniblement à la télégraphiste un texte que l'on voudrait dire avec chaleur. Yves Montand a fait sur ce thème un sketch mémorable. Sacha Guitry, conscient de la déformation de la voix au téléphone, révélait que souvent, il se présentait à son interlocuteur en disant : « La charcuterie. » Selon lui, personne ne s'en aperçut jamais.

La mise en simulacres qu'assurent les machines à communiquer concerne essentiellement les paysages et les individus. Les chambres noires de Vinci et de Zahn aidaient à reproduire à l'identique les paysages devant lesquels on les installait. Celles de Daguerre et de Nadar photographiaient les personnes. Edison créa une importante collection d'enregistrements de chants d'oiseaux et d'opéras, paysages sonores. Je me souviens d'avoir entendu, enfant, avec effroi, la transmission radiophonique de l'explosion de la première bombe atomique, paysage sonore d'épouvante, après avoir souvent entendu sur Radio-Londres la voix d'un personnage mythique, le général de Gaulle.

Dans les conversations téléphoniques à longue distance, le fil du discours est parfois haché par des effets d'écho. On sent bien là, surtout lorsque l'interlocuteur est un être cher, la présence du simulacre, masque que l'on voudrait arracher à tout prix. Ainsi l'offre de machines à communiquer est-elle celle de la mise en circulation de simulacres, ou d'« effigies » en ce qui concerne les personnes. La société moderne connaît une importante circulation d'effigies et de simulacres, que l'on n'a pas jusqu'à présent étudiée comme on l'a fait pour la circulation monétaire. Pierre Schaeffer, dans une récente conférence au Collège de France [2], parlant de l'étymologie du mot « communication », soulignait que l'association du préfixe com- et de la racine -munus (charge, au sens de charge statuaire, celle de magistrat par exemple) orientait l'étymologie vers le sens d'échange d'identités. Le réseau complexe des machines à communiquer apparaît sous cet angle comme le dispositif qui permet l'enregistrement, le stockage et la circulation d'effigies et de représentations de paysages, de tableaux, tous simulacres. Ces effigies sont, pour reprendre le vocabulaire de Marc Guillaume, plus ou moins spectrales. Par spectralité s'entend la volonté plus ou moins consciente qu'a l'usager de se masquer dans une relation à autrui par machine interposée. La lettre ou le coup de fil anonymes se situent à l'une des extrémités, la pin-up qui dévoile la totalité de ses charmes dans *Playboy,* ou dans l'émission de strip-tease d'une chaîne de télévision italienne, à l'autre. Entre les deux se situe toute une série de stades intermédiaires. Les usagers ont préféré les messageries télématiques, qui les séparent par un écran, à la Citizen Band qui les mettait en relation radiophonique directe.

Une classe de machines

Les appareils évoqués ont des traits communs. Tout d'abord, ils sont construits en vue d'obtenir un résultat préalablement déterminé : écouter et parler à distance, voir une image projetée, écouter un air enregistré. Leur perfectionnement continu atteste du souci constant des inventeurs d'évaluer leur réalisation. Nous sommes bien là dans le champ d'application de la technique puisqu'il y a anticipation du produit, organisation conséquente des moyens intellectuels et matériels et souci d'évaluation. Ils ont d'ailleurs besoin d'une énergie pour fonctionner, que ce soit celle de la lampe à huile pour la lanterne ou celle de l'électricité pour le téléphone. Ces dispositifs ne fonctionnent pas en continuité. Il faut les mettre en marche et les arrêter, de l'appareil-photo au réseau de télévision. Cette énergie est transformée en signaux, arrangés en codes, véhiculés par des relais. Aux deux bouts de la chaîne, des opérateurs humains effectuent les codifications et les interprétations nécessaires.

Ce sont donc des machines, mais pas celles auxquelles la mécanique nous a habitués et qui, posées sur un point d'appui – un socle –, doivent vaincre une résistance : couper du fer ou soulever une charge.

Ce ne sont pas non plus les machines qui permettent de résoudre mécaniquement des problèmes mathématiques, comme le furent la calculatrice de Pascal, qui effectuait les opérations arithmétiques élémentaires ou encore les compas de Galilée et de Guidobaldo qui permettaient de multiples calculs grâce à diverses gradations inscrites sur leurs branches. La lignée spécifique des machines à calculer y trouva ses origines. Elle aboutit aux ordinateurs en passant par les arithmomètres, les calculatrices électromécaniques et la mécanographie.

Ce ne sont pas non plus de celles que l'homme cherche à mettre au point depuis Raymond Lulle, au

XIIIe siècle, pour simuler le raisonnement de l'homme, sinon sa pensée. Martin Gardner, dans son *Étonnante histoire des machines logiques* [3], décrit la galerie interminable de savants qui s'essayèrent à ce genre, suivis en cela par les chercheurs contemporains en intelligence artificielle. Une telle machine met en relation des faits et des règles de raisonnement. Elle peut, à condition que tous les éléments en soient enregistrés, montrer les divers cheminements qui conduisent à un résultat donné, ou bien, dans le sens inverse, livrer toutes les conclusions que l'on peut tirer d'un ensemble de règles et de faits donnés à l'avance.

Pierre Schaeffer, qui est sans doute le premier à les avoir identifiées en les nommant « machines à communiquer », souligne qu'à côté des machines à faire et des machines à penser, on n'a pas vu qu'existe un autre ensemble de machines à percevoir, exprimer, communiquer. Elles gèrent, écrit-il, les deux grands aspects du phénomène audiovisuel : « d'une part, la captation et la reproduction des sons et des images et, d'autre part, la diffusion des messages à travers l'espace et le temps vers toutes sortes de populations [4] ».

La fonction de reproduction suppose un stockage des informations ainsi qu'un dispositif qui permette d'en lire le support pour le diffuser. Les machines à communiquer se définissent par quatre fonctions : perception, lecture, stockage et transmission.

On trouve à leurs origines des expériences réussies de captation de sons et d'images qu'on mettra plus ou moins longtemps à maîtriser. Le sténopé est la plus ancienne. L'image inversée reproduisait la couleur et la vie, mais il faudra près de quatre siècles pour construire le dispositif qui fournisse artificiellement ce résultat.

A l'origine de la photographie, il y eut aussi la captation inattendue de la lumière par Nicéphore Niepce. Pour le son, l'expérience du phonautographe de Léon Scott fut du même ordre. Elle permit de « voir le son », mais on a vu combien son engageante simplicité égara les savants pendant des lustres quant à la véritable nature du phonographe. Ces trois montages ont une grande valeur expérimentale pour l'homme, car ils lui ont appris qu'il était possible de s'engager sur le chemin de la reproduction artificielle de l'ouïe et de la vue. Et malgré un décalage temporel important, c'est au même moment, à la fin du XIXᵉ siècle, que les solutions sont trouvées sous leur forme la plus élégante, celle des machines réversibles.

La consistance de cet ensemble s'est forgée progressivement. L'examen historique s'est révélé d'une grande utilité. Il a permis de noter les multiples paramètres qui interviennent dans la genèse de l'invention, projets de l'inventeur, connaissances ou erreurs du temps. Ces appareils véhiculent une culture implicite, inconnue des profanes.

Toutes les situations dans lesquelles naît une machine à communiquer ont un trait commun : un déséquilibre que leur inventeur leur donne pour mission d'amoindrir ou de résorber. Déséquilibre, la mécréance à laquelle s'attaqua Athanase Kircher. Sautons les siècles. Déséquilibre aussi, ou dysfonctionnement, l'invasion de la France par l'Allemagne, en 1940. Cela appelle une Résistance qu'aide Radio-Londres. Plus tard, le FLN, lors de la guerre d'Algérie, capte par transistors les messages de l'armée française, déjouant ainsi sa tactique.

Déséquilibre toujours, la solitude, l'absence. Déséquilibre, enfin, le handicap, la surdité, la cécité, dont on a parlé.

Un des cas les plus éclairants sur la relation entre communication et déséquilibres est celui qu'a traité dans sa thèse Michel Batala, ex-directeur de journal au Congo [5]. Il y analyse le phénomène que l'on trouve dans les différents pays africains, au Congo en particulier, désignés par le terme de « Radio-Trottoir ». Cette dénomination fait référence au temps de la colonisation. Des haut-parleurs installés dans la rue diffusaient alors des émissions de la radio française. Mais aujourd'hui, « Radio-Trottoir » n'utilise aucune technologie, rien d'autre que le bouche-à-oreille. Elle propage deux types de nouvelles : des informations pour tous et des messages ciblés sur un destinataire précis. Le fonctionnement de ce dispositif est étonnant car il permet d'atteindre quelqu'un de précis, de proche en proche, chacun des relais cherchant un relais suivant plus proche du cercle de l'intéressé, si bien que la nouvelle lui parvient rapidement.

Michel Batala note que les responsables politiques se servent abondamment de ce système. Il faut savoir qu'en Afrique, État et ethnies sont des entités qui se concilient imparfaitement, au point que ce dualisme est mal vécu par ceux qui ont un rôle public. Si une décision qu'ils prennent dans le cadre de leurs fonctions leur pèse parce qu'elle est en contradiction avec ce que leur dicterait l'appartenance tribale, ils transmettront l'information sur « Radio-Trottoir ». Dans le passé, des gens ont été ainsi prévenus de leur arrestation par ceux qui l'avaient décidée.

« Radio-Trottoir » est née du déséquilibre résultant de la colonisation. Il s'est ensuite reporté sur le déséquilibre engendré par la superposition de l'État aux ethnies. Ce dispositif résulte de l'empreinte qu'a exercée la radio coloniale sur la société africaine. Il n'est pas une machine à communiquer au sens où celle-ci est faite de métal et utilise les propriétés de l'électricité. Mais elle fonctionne parce que chacun des agents s'identifie à un transmetteur mécanique qui véhicule l'information sans la déformer. En cela, le concept de machine s'applique métaphoriquement, comme on le fait, par exemple, pour décrire les agencements érotiques que le marquis de Sade programmait, ou encore dans l'art militaire : les tortues romaines étaient des machines de guerre.

De toute évidence, cette « machine » atténue le déséquilibre et a pour fonction principale la régulation. Il existe de multiples déséquilibres dans la société, comme il y en a dans le corps humain. Ils peuvent être provisoires, conjoncturels. L'offre d'emploi des projections lumineuses pour l'éducation des adultes s'intensifie jusqu'en 1896. Cette année-là, précisément, culmine la crise économique. Le mouvement décroît ensuite progressivement. Il est stoppé net par la guerre de 14. Ces déséquilibres peuvent être liés à l'organisation même de la société et être alors structurels. L'émergence de « Radio-Trottoir » au Congo est de ce type. Dans certains cas, on ne peut encore décider. On ignore encore, par exemple, si le succès considérable des messageries télématiques en France correspond à un mouvement passager ou bien révèle au contraire une altération profonde du lien social.

Les déséquilibres concernent aussi bien l'espace que le temps. Rompre la solitude, créer le lien sont des formes d'organisation de l'espace. Conserver l'image ou la voix de ceux qui disparaissent est une conjuration des méfaits du temps. Ainsi les inventeurs tentent-ils d'éviter que la société ne soit ballottée jusqu'au naufrage par les lames de l'espace et du temps.

Une définition commune

Il est question dans ce livre de machines à communiquer et non pas de machines audiovisuelles. La distinction n'est pas de pure forme. Le terme « audiovisuel » a une définition très fluctuante. La seule référence à la vue et à l'ouïe comme caractéristiques des supports n'aide pas à la spécification puisque la lecture, aussi bien que le théâtre, et de façon plus générale tout ce qui recourt à ces deux sens, peuvent théoriquement en relever [6]. La définition proposée ici retient cinq fonctions :

– une fonction de simulation. Ces machines produisent des simulacres, pour la vue et l'ouïe. Elle est sous-tendue par un constant souci de perfectionnement, qui a été nommé ici le « déterminisme de l'illusion ». Il est en progression constante, car les sens comparent itérativement les productions artificielles et les spectacles naturels, avec une acuité qui évolue elle-même, du fait qu'elle est rendue de plus en plus exigeante par la technologie elle-même. On a trouvé parfaits à leur apparition le disque 78 tours, puis le microsillon, puis le disque laser. Le spectacle audio-visuel sur l'écran sphérique d'une géode diffère grandement d'une projection de lanterne magique avec une lampe à huile;

– une fonction discursive. Ces machines ne permettent pas, contrairement à une opinion répandue, de faire l'économie d'une compétence langagière, ni dans la phase de conception et de production de messages, ni dans celle de réception. Elles contraignent même à son perfectionnement. L'écriture d'un scénario suppose une grande maîtrise de la métaphore. La rédaction d'un texte sur un écran télématique exige un style concis ainsi qu'une capacité à construire des images qui font choc;

– une fonction économique. L'ensemble de ces appareils utilisent, pour fonctionner, des supports qui ont une valeur économique; pellicules, bandes magnétiques, signaux téléphoniques. Ils en traitent les contenus et en produisent un, à leur tour, sur un support qui a, lui aussi, une valeur économique. Avoir la radio ou la télévision allumées signifie une consommation d'énergie. A titre d'exemple, depuis quelques années, le budget imparti à l'achat des piles électriques est en constante augmentation;

– une fonction d'organisation des rapports dans la société. Les appareils véhiculent, pour la plupart, le dispositif d'emploi dans lequel ils s'insèrent, même s'il n'est pas visible. Le cinéma est conçu pour être regardé par un groupe, le walkman, pour être utilisé en solitaire. Contrairement à ce qu'on a cru dans les années 70, la vidéo requiert une équipe de tournage, alors qu'on la pensait utilisable par des amateurs. Il ne s'agit pas ici du rôle symbolique de ces machines, sur lequel on reviendra plus loin, mais de leur ergonomie;

– une fonction régulatrice. Il s'agit là de la fonction globale des machines à communiquer, de leur finalité, telle que l'enseigne l'histoire de ses inventions. Le projet de réalisation est lié à la perception d'un déséquilibre et à l'intention de l'amoindrir, sinon de le dissiper par son moyen. Le déséquilibre peut être manque d'information, absence, solitude, guerre, infirmité ou handicap. La technique est alors sollicitée, elle résiste, elle tend des pièges, mais la volonté des inventeurs finit par les surmonter. Tel est le parcours de Charles Cros pour aboutir à l'invention du phonographe : on conservera enfin les voix du passé. Machines à résoudre les crises, les machines à communiquer sont des constructions utopiques. Grâce à elles, estiment-ils, l'équilibre sera retrouvé.

Les machines à communiquer sont, dans cette analyse, des sortes de cardans qui permettent à la société de conserver son équilibre global. Grâce à l'invention de Hieronymus Cardano, la boussole était ramenée à l'horizontale par ses oscillations [7].

Le cardan n'est ici qu'une métaphore. Si la société bouge dans un sens – trop de solitude, trop de mécréants, trop de colons isolés dans le Far West, trop d'agression envers la nature –, les machines à communiquer agiront en sens inverse, avec une intensité proportionnelle à celle du déséquilibre; lanterne magique, télégraphe, messageries télématiques seront alors proposés.

Rien ne prouve que grâce à ces « cardans », la tranquillité sera retrouvée, parce que précisément ils procèdent de l'idéologie et du rêve des techniciens. C'est une proposition, sans plus. Mais parfois elle est acceptée et à son tour elle structure la société.

Combinaisons d'une grande complexité, ces machines intègrent simulation des sens et affect dans une formalisation qui suppose une grande maîtrise du langage. Elles ont annexé dans un passé proche, des fonctions logiques qui augmentent leurs capacités de traitement. Elles produisent un nouveau bien économique, l'information. Elles sont destinées à réguler les déséquilibres de la société et font office de machines à rassurer et à tranquilliser.

En cela, les inventeurs leur confèrent un rôle qui sort du domaine de la technique et qui concerne la société globale : telles des baguettes magiques, ces appareils œuvrent pour son bien-être.

III

Mythologies audiovisuelles

Expliquer le développement extraordinaire des technologies de communication n'est pas chose aisée, si l'on prend le parti de récuser toute réponse par l'évidence de leur utilité et de leur nécessité. Ces machines exercent une fascination sur la sphère technicienne qui en imagine et en propose inlassablement de nouveaux emplois. Les usagers ne partagent pas tous cette frénésie. Pour mieux comprendre leurs attitudes, il faut d'abord caractériser la raison de l'enthousiasme des premiers. Il se manifeste dans le temple de la technique et le terme d'« enthousiasme » convient bien puisqu'il signifie littéralement « qui porte un dieu en soi » *(en-theos)*.

Si certains propos prophétiques, présentés dans la première partie, n'ont pas la rigueur du discours technique, ils ont, en revanche, des accents qui évoquent le discours religieux. Cela mérite examen, si l'on veut identifier les moteurs de cette recherche incessante de machines toujours plus perfectionnées.

Un mythe fondateur

Toute généalogie a son origine mythique. J'accorde pour ma part beaucoup d'importance à celle que donne Pline l'Ancien aux arts plastiques. Un soir, à Sicyon, sont assis, près du foyer Dibutades, un potier, sa fille et l'amant de celle-ci. La jeune femme est triste car l'homme qu'elle aime part le lendemain pour un long voyage. La lampe à huile projette son profil sur la paroi. Elle prend un charbon dans l'âtre et dessine le contour de l'ombre. Le lendemain, nous dit Pline, le père prend de l'argile et modèle en respectant le contour du premier bas-relief. Ce très beau mythe contient tous les éléments d'une théorie de la reproduction artificielle.

Il y a tout d'abord l'empreinte du vivant, l'ombre, en quelque sorte la signature de l'être. Il y a également l'anticipation d'un manque, d'un déséquilibre à venir : la jeune femme souffrira quand l'amant ne sera plus là. L'acte fondateur est de prendre un charbon pour dessiner le contour de l'ombre. Il matérialise en effet l'empreinte de l'ombre et la pérennise, il concrétise le passage à l'artificiel. Le potier donne du volume et agence l'illusion.

Dans une généalogie à rebours qui reste à construire, nous verrions ce mécanisme de reproduction fonctionner aussi bien chez Praxitèle, qui éternise les héros par la reproduction en marbre, que chez les peintres de la Renaissance, qui utilisent pour ce même dessein leur palette au service des bourgeois, et chez Nadar, qui construit avec sa chambre photographique et dans la même intention ce qu'il appela le Panthéon des hommes illustres.

Un autre mythe est celui de la Caverne, rapporté par Platon. Pierre-Maxime Schuhl, dans son essai sur *La Fabulation platonicienne* de 1947, note que la caverne était organisée comme les grottes dans lesquelles se donnaient les spectacles dravidiens, à Athènes. L'homme, spectateur, ne voit que l'ombre projetée de la réalité et n'en entend que l'écho. Écho est en effet là et cela intrigue de constater qu'on s'en soucie fort peu, tout comme si le mythe avait perdu le son, parce que nous avons peut-être laissé s'atrophier nos oreilles.

Dans ces deux mythes apparaît comme centrale la projection, opération qui crée l'ombre et dont seul l'homme, avec peut-être quelques primates, a effectivement conscience. Mais Platon se comporte en spectateur, alors que le potier de Sicyone met stricto sensu la main à la pâte. C'est bien sa fille et lui qui inaugurent la lignée des inventeurs. Un autre élément est à considérer dans ce mythe : c'est une femme qui a le trait de génie fondamental de la substitution artificielle, elle qui est par ailleurs capable de donner la vie. Mais c'est la première et la dernière, car nous ne reverrons par la suite aucune femme figurer dans la lignée des inventeurs. Seule exception, la fille de Lord Byron, Ada Lovelace, et encore, dans un domaine connexe au nôtre, celui des machines à calculer.

Mythes de l'espace

Le projet de corriger divers déséquilibres de l'individu, de la société est un pari audacieux. Il suppose en effet qu'une technologie, recourant au métal, au verre, à l'électronique, c'est-à-dire à des éléments totalement artificiels, soit capable de remédier à un malaise de l'être ou de la société. Ce pari relève lui-même d'un mythe profondément occidental, enraciné dans nos origines depuis Gilgamesh et Prométhée, celui de la maîtrise par l'homme du feu et de la technique.

Les discours constitutifs des machines à communiquer renvoient à divers types de déséquilibres qui s'organisent par rapport à l'espace et au temps. La machine envisagée a une fonction mythique dans la mesure où elle supprime le déséquilibre grâce à sa fonction spécifique.

Les mythes relatifs à l'espace sont fréquents. L'ubiquité en est un thème des plus importants. On le retrouve dans l'acte de la fille du potier de Sicyon : son amant absent sera présent par la vertu du simulacre en argile. La catoptrique et la magie parastatique furent sous-tendues par la notion d'ubiquité depuis l'antiquité jusqu'au XVIIe siècle. Kircher, comme bien d'autres, fut impressionné par le prodige qu'avait réussi Roger Bacon au XIII⁰ siècle, qui consistait à apparaître à distance à ses élèves grâce à un jeu de miroirs appropriés. Plus près de nous, au XIX⁰ siècle, le télégraphe supprime l'absence, et au XX⁰, c'est la radio. A son sujet, en 1930, le philosophe Brice Parain écrit : « Il y a là un véritable phénomène de solitude, et de solitude concentrée parce que la vraie solitude, ce serait la solitude sans radio, sans rien. Mais, étant donné que nous avons la radio, nous sommes à peu près comme les hommes de la philosophie moderne : nous avons l'impression d'être seuls, et cependant le monde fait parvenir jusqu'à nous sa rumeur. Nous sommes donc à la fois seuls et occupés, distraits et intéressés à un monde présent autour de nous [1]. »

Un autre grand mythe moteur est celui de la connaissance et de l'accès immédiat à l'information. Dans *La Bibliothèque de Babel* de Jorge Luis Borges, ce sont les livres qui assurent la compilation de toutes les connaissances. Le caractère incitatif du mythe mérite d'être souligné. Aussi l'essor du télégraphe est-il assuré par ce mythe qu'adopte la presse américaine : tout savoir très vite pour le publier aussitôt. La floraison contemporaine des banques de données en relève également. L'usager idéal est supposé compulser depuis son terminal domestique l'une des trois mille banques de données existantes pour mettre à jour ses connaissances. L'usage réel n'est guère conforme au mythe, puisque la littérature la plus précieuse pour un chercheur est celle que l'on nomme « grise », faite de rapports intermédiaires, de « preprints » et de projets d'articles, dépassée quand elle apparaît enfin dans les banques de données. Le mythe de l'information totale régit aussi la démultiplication des canaux de télévision, qui suppose chez les téléspectateurs une soif inextinguible de connaissances prodiguées par l'écran. Ceux d'entre eux qui y adhèrent pratiquent le rituel du « zapping », cette façon compulsive d'appuyer rapidement sur toutes les touches de la télécommande qui sélectionnent les canaux du téléviseur.

Le troisième mythe moteur dans le registre de l'espace est celui de la reproduction artificielle du paysage. Nous avons vu qu'il s'agissait d'une longue recherche. La chambre noire est sans doute le seul objet technique qui ait passionné aussi longtemps l'humanité. L'ancienne Chine la connaissait. Elle la désignait par le terme K'uo et lui donnait le nom de « chambre close du trésor ». L'école de Mo-Ti, plus de mille ans avant l'ère chrétienne, fournit déjà une explication à l'inversion de l'image projetée. La tradition judaïque s'y intéressa aussi. Elle en attribue l'invention à Levi Ben Gerson, qui publia au XIVe siècle un traité d'astronomie. Gianbattista Della Porta, Léonard de Vinci la mirent au point. Mais il ne fallut pas moins de quatre siècles pour que l'on voie voler sur l'écran, grâce à un procédé artificiel, le cinéma, l'oiseau naturel que Johannes Zahn y avait vu évoluer. Les tentatives de reproduire un mouvement complexe avec la lanterne magique furent voués à l'échec. Le cinéma la supplanta. C'est maintenant la troisième dimension que l'on cherche à reproduire par divers procédés optiques de relief, puis avec le laser et l'holographie. La même ténacité se constate pour le son : les efforts de reproduction artificielle commencent avec la sténographie musicale à la fin du XVIIIe siècle et aboutissent aujourd'hui à l'enregistrement sur disque laser.

Arrêter le temps

Les machines à communiquer sont associées aussi à une métaphysique du temps qui a trait à la mort et à la vie éternelle. La foi chrétienne a été la source de l'invention de l'imprimerie, dont le premier rôle fut d'accroître la diffusion des Saintes Écritures. Elle présida à la codification de la lanterne magique, qui devait servir à la catéchèse. La pérennisation des effigies, garantie d'une pseudo-immortalité, après avoir inspiré les sculpteurs et les portraitistes, fut le moteur de la photographie et de la phonographie. Charles Cros formula ainsi son projet de paléophone :

> *Comme les traits dans les camées*
> *J'ai voulu que les voix aimées*
> *Soient un bien qu'on garde à jamais*
> *Et puissent répéter le rêve musical*
>   *de l'heure trop brève*
> *Le temps veut fuir, je le soumets.*

L'académicien Janssen renchérissait : « Le problème de reproduire la voix humaine est un des plus étonnants que l'homme ait pu se proposer... Le génie de M. Edison nous en donne la solution et son nom sera béni de tous ceux qui pourront entendre la voix aimée de ceux qu'ils auront perdu [2]. »

Un autre mythe, enfin, prit une importance considérable dans la période contemporaine, celui de l'instantanéité. L'homme désire avoir la réponse immédiate à la question qu'il pose, il souhaite savoir à l'instant ce qui se passe dans le monde. Les psychanalystes interprètent cela comme un désir infantile d'abolition du temps [3]. La photographie, le télégraphe, l'ordinateur, la télématique ont progressivement raccourci les temps de traitement des messages, pour atteindre des vitesses d'exécution qui se chiffrent en millions d'opérations par seconde.

L'homme artificiel

La reproduction artificielle de l'homme fit, au XVIIIᵉ siècle, l'objet de travaux poussés. Il s'agissait de recopier la nature. Elle s'inscrit dans le dessein philosophique de réfuter l'âme; la construction d'un homme artificiel devait donner par défaut des indications sur l'éventuelle spécificité de cette entité problématique [4]. La mécanisation de la production des sons est alors liée à une métaphysique de l'être.

Au début du XIXᵉ siècle, les machines à reproduire le son figurent dans divers textes au titre de prothèses pour les muets, bien qu'on ne sache pas encore les construire. M. de Gerando est un des premiers à envisager cette possibilité : il publie en 1827 le livre [5] que Charles Cros lut plus tard à la bibliothèque de l'Institut des Sourds-Muets, rue Saint-Jacques à Paris.

La recherche de la reproduction artificielle de l'homme trouva un terrain d'accueil dans la photographie, le phonographe et le téléphone. Pour certains inventeurs, leurs appareils sont explicitement des prothèses : « Je n'ai pas entendu un oiseau depuis que j'ai douze ans », écrivit Thomas Edison. Et d'ajouter : « La surdité est responsable, je pense, de la perfection du phonographe et a eu quelque chose à voir avec le développement du téléphone dans une forme utilisable [6]. »

Le Progrès, cette marche glorieuse vers un monde qu'ils veulent meilleur, pousse les inventeurs du XIXe siècle à adapter la lanterne magique à la diffusion des sciences et des techniques. Du coup, l'appareil revêt un aspect austère, tôle noire et cuivre, et change de nom, le terme de lanterne magique rappelant au dire des laïcs de l'époque les « procédés sulfureux du jésuite Kircher ». Aussi ne parle-t-on désormais que de projections lumineuses ou encore, d'« enseignement par l'aspect ».

Les machines à communiquer sont, si l'on s'en rapporte à ce qui fonde leur genèse, des appareils producteurs d'effigies qui permettent de dominer l'espace et le temps. Croire en Dieu, dans le Progrès, préserver son image de la mort, tout connaître et tout savoir, être partout à la fois, créer une communauté sont les aspirations fondamentales de notre société. Notre civilisation prométhéenne nous autorise à penser que les machines à communiquer, telles qu'elles sont conçues, sont elles-mêmes des mythes. Leur panoplie constitue alors une mythologie totale.

Cet angle de vue permet de comprendre pourquoi certains discours de la sphère technicienne ont des accents qui font bien plus penser à la magie qu'à la technique.

70

Les propos magiques de la sphère technicienne

L'usage des casseroles ou de la machine à laver n'a jamais suscité d'incantations, ce qui n'est pas le cas pour les machines à communiquer. On est en droit de se demander ce qui provoque un tel émoi de l'imaginaire chez les zélateurs du téléphone ou de l'ordinateur.

Cet investissement n'est pas d'ordre économique, même s'il le devint par la suite, lorsque l'industrie perçut qu'il y avait un marché. Kircher, Cros, et bien d'autres ne sont pas des hommes d'affaires. Il y a certes des exceptions, que l'on rencontrera, mais dans la sphère technicienne, les enjeux sont autres et procèdent de la foi ou bien du désir de reconnaissance. Bon nombre des militants québécois de la vidéo étaient précédemment des prêtres. Ils se lancèrent dans l'audiovisuel après le grand mouvement de défroque que connut le Québec autour de 1970. On vit en France les mêmes animateurs sortir des rangs du clergé ou encore des patronages. Tout se passait comme si, brusquement, on cessait de pratiquer l'image de Dieu pour l'image tout court.

La sphère technicienne a un comportement qui prend souvent un caractère messianique. L'annonce d'une nouvelle machine à communiquer a les accents d'une révélation. Tous les emplois possibles en sont énumérés et le plus grand nombre est invité à s'en servir. La nouvelle machine apparaît alors comme un saut dans l'évolution de la société.

On imagine le nouveau lien social créé par la machine, ce qui suppose une adhésion au mythe qu'il véhicule, en d'autres termes, une foi, tout au moins une croyance. L'utilité n'est pas hypothétique, mais affirmée a priori. Elle a valeur de postulat. Dire cela n'est pas un procès d'intention, mais se disposer à comprendre pourquoi, dans certains cas, les prévisions s'accomplissent, tandis que dans d'autres, elles échouent. L'appareil inventé –

assure-t-on – inaugure une ère nouvelle. Les projets d'insertion sociale de l'invention sont loin du discours technique, d'ambition restreinte, expérimentateur, qui se limite à en préciser les conditions d'emploi. Derrière la thèse d'utilité, se profile un schéma réorganisé de la société qui intègre l'usage de l'appareil, créateur de ce fait d'un nouveau besoin. Dans les années 80, on a beaucoup vanté l'ordinateur domestique qui devait régler de nombreuses questions, telles que la gestion des comptes bancaires ou tout simplement le carnet d'adresses. Il en fut de même pour les cartes magnétiques, qui servent à téléphoner et à obtenir de l'argent dans les billetteries automatiques. Leur utilité était posée a priori. Dans le premier cas, on a vu que le « désenchantement » était en cours, dans le second, c'est une réussite totale. Les usagers ont fait la différence. La force avec laquelle est affirmé le postulat révèle, chez ceux qui le propagent, combien est puissante la croyance dans le nouveau schéma de société encore utopique au moment où il est conçu. Les techniciens « calculent » en quelque sorte la transformation de la société en fonction du nouvel appareil. Mais ils omettent certains facteurs. La saisie et le transfert automatisés de données se développent de plus en plus dans les administrations, les banques, les entreprises. Mais le projet d'entreprise n'a pas toujours envisagé ce qu'allait devenir la masse de personnel qui assurait jusqu'alors ces fonctions à la main. La supposition implicite était qu'elle s'évaporerait naturellement. Il n'en est rien et les administrations, les banques sont confrontées à de sérieux problèmes de licenciement ou de réaffectation d'effectifs considérables.

Un discours oscillant

Deux types de discours coexistent quant aux technologies de communication. L'un est précis, technique, laïque, pourrait-on dire, quant aux capacités des machines. L'autre est généralisant, idéologique, incantatoire, ressemblant, à l'objet près, au discours religieux.

Quelle est l'origine de ce dualisme? Bascule-t-on nécessairement d'un type de discours à l'autre? Autant de questions auxquelles n'ont pas encore été données de réponses satisfaisantes. La réflexion de Gilbert Simondon [7] sur la genèse de l'objet technique fournit une piste pour élaborer une hypothèse d'articulation entre les deux discours.

Résumer cette théorie en quelques lignes n'est pas chose facile. S'inspirant de la gestalttheorie, il pose l'existence d'une unité magique primitive, définie comme « la relation vitale entre l'homme et le monde et définissant un univers à la fois subjectif et objectif antérieur à toute destruction de l'objet et du sujet ».

Partant de là, prenant comme pivot l'homme dans son environnement naturel, il suppose que celui-ci repère des sites remarquables : un pic, un lac, une forêt profonde, par exemple. Ces sites qu'il dénomme « points clés » ont deux facultés majeures. Ils confèrent à l'homme, par anticipation, un pouvoir sur le monde. Du haut du pic, par exemple, on suppose que l'on verra (dominera) tout le paysage alentour. Ils l'incitent, par ailleurs, à l'expérimentation. L'homme tentera de gravir la montagne, de pénétrer au cœur de la forêt. Progressivement, l'homme met en réseau ces points clés, qui possèdent tous, parmi d'autres, une caractéristique technique remarquable : seuils, sommets, limites, etc. L'univers magique est ainsi fait de tels réseaux de lien, de moments dans le temps aussi, pourrait-on ajouter, car Simondon souligne qu'il peut y avoir l'équivalent temporel des points clés.

Dans le temps même où ce réseau s'établit, se constitue ce qu'il appelle une toile de fond. Cette toile de fond, c'est le temps courant, les points référentiels qui donnent leur sens à ces points clés.

La théorie de Simondon insiste sur la dissociation progressive des pensées liées, l'une aux points clés, l'autre à la toile de fond. Les points clés s'objectivent, car ils provoquent l'expérimentation, tandis que la toile de fond se subjectivise, et conserve son unité en s'investissant symboliquement dans le divin et le sacré. Le réseau des points clés est à l'origine d'une pensée analytique, soucieuse de l'élément, enrichie de l'expérience. Cette pensée cherche à se hisser au niveau de l'unité primitive, jamais atteinte. Cherchant à recomposer, à abolir la dissociation primitive, elle s'appuie sur l'induction. C'est la pensée technique.

La toile de fond engendre de son côté une pensée globalisante, conservatrice de l'unité qui devient la pensée magique. Elle tend à organiser le monde à partir du tout établi. S'appuyant sur la déduction, elle constitue la pensée religieuse.

Le grand mérite de cette théorie est de considérer que religion et technique forment un couple indissociable, cherchant constamment un équilibre jamais atteint, toutes deux se trouvant cependant dans un équilibre méta-stable.

Cette analyse fournit des résultats intéressants quand on l'applique à la genèse des machines à communiquer.

Certains procédés audiovisuels correspondent à l'origine aux points clés de Gilbert Simondon. La caverne conduit à la chambre noire, à la catoptrique et à la magie parastatique. L'ombre dessinée sur la paroi fonde les arts plastiques. On en retrouve le principe dans la chambre photographique et la transposition sonore dans le phonographe. Si l'on suit cette analyse, en la schématisant d'une façon sans doute excessive, les inventeurs poursuivraient inlassablement le perfectionnement des outils, mus par la tentative constamment répétée d'accéder à l'unité, cherchant par l'exercice de la pensée inductive à construire de nouvelles machines. Relier mécaniquement certains actes pour produire certains effets est une construction théorique, donc une pratique de la déduction. L'entourage immédiat, sinon les inventeurs eux-mêmes opérant un dédoublement, gérerait la mémoire et l'actualisation de la toile de fond sur laquelle sont inscrits les grands mythes de l'humanité : conjuration de la mort, connaissance exhaustive, ubiquité, progrès et foi. Opérant sur le monde inductif, ils s'évertueraient à trouver les applications de la nouvelle machine pour la perpétuation du mythe, en vérifiant constamment que le maintien de l'unité est conservé. Il n'y a pas de cloison hermétique entre les inventeurs et leurs entourages. C'est donc en termes de polarité qu'il y a lieu de s'exprimer ou, si l'on veut, de tendance dominante.

L'hypothèse théorique obtenue rend compte de la qualité des discours. Cependant, les deux pensées qui les sous-tendent ne parviennent pas à la dissociation de l'unité magique primitive. Les points de repère sont toujours présents. La salle de cinéma d'aujourd'hui descend par filiation directe de la caverne. Depuis Athanase Kircher, la lumière artificielle se substitue à celle du soleil pour l'éclairer et y faire pénétrer tableaux et effigies. L'ancienneté du processus d'invention, qui remonte à l'antiquité, la volonté constante de perfectionner l'illusion, la permanence des discours religieux sur l'usage des inventions sont autant d'éléments qui plaident en faveur de cette explication du double discours et qui laissent penser que ce lent processus de dissociation est loin d'être abouti, si toutefois il doit l'être un jour. Religion et technicité sont ici liées par la trame subsistante de la pensée magique, ce qui explique les multiples oscillations des propos et des manières de faire.

La rupture des discours, qui passent alternativement du technique au magique, les pratiques effectives, qui oscillent entre le rituel et l'instrumentalité, tendraient d'ailleurs à indiquer que cette dissociation n'est pas encore opérée.

On doit certes se méfier de la tentation existante de projeter sur des dispositifs hétéroclites le concept de machine à communiquer. Il faut se demander cependant si elles ne sont que des produits spécifiquement contemporains ou bien, au contraire, des dispositifs technologiques qui, telles les machines agricoles ou les machines industrielles, connaissent, selon les époques, des instanciations différentes. Il n'est pas question ici de régler le sort de cette hypothèse, dont le traitement aurait au demeurant le grand mérite d'ouvrir une discussion de fond sur ce qu'est la communication, l'éclairage historique étant jusqu'à maintenant fort peu présent dans les débats à son sujet.

Histoire d'amorcer l'étude et sans prétendre conclure, on peut considérer deux cas très distants de ce qu'on se représente aujourd'hui comme appareils pour la communication; celui du miroir ainsi que celui du vitrail.

Le miroir de Dieu

L'existence de cette relation étroite entre technique et magie se vérifie à propos du miroir depuis la plus haute antiquité jusqu'à l'avènement du rationalisme scientifique au XVIIᵉ siècle. Le miroir n'est pas aux origines la glace banale dans laquelle on se regarde pour vérifier sa tenue. C'est un objet qui fascine aussi bien les initiés que les profanes. Il est à la base d'une science, la catoptrique, qui ne s'est éteinte qu'avec l'apparition des lois de l'optique moderne. On conçoit mal de nos jours que le miroir serve à échanger autrement qu'avec soi-même. Il entre cependant dans notre champ d'analyse car il servit très fréquemment à la distribution d'images qui n'étaient pas le reflet de ceux qui le regardaient, mais d'autres personnages ou paysages, cachés par divers artifices [8].

Le miroir aurait été inventé par Alexandre le Grand pour protéger l'humanité de la foudre [9]. Pour Philolaos, pythagoricien du IVᵉ siècle, le Soleil lui-même ne serait qu'un miroir qui réfléchit le feu céleste : « C'est un disque de verre qui reçoit l'éclat du feu cosmique et nous renvoie la lumière; si bien que l'on distingue trois parties dans le ciel : d'abord le feu céleste, puis son éclat et la réflexion semblable à celle d'un miroir; enfin, les rayons du soleil qui sont dispersés par ce miroir sur notre terre : c'est cette réflexion que nous appelons soleil et qui n'est que l'image d'une image [10]. »

Un point clé de l'univers, selon la terminologie de Gilbert Simondon, est ainsi identifié à un objet technique, que ce soit pour capter la foudre ou nous renvoyer le feu céleste, deux formes voisines de l'énergie cosmique. Le miroir antique est fait de verre ou d'électrum, alliage particulièrement brillant d'or et d'argent. On trouve auparavant le miroir comme instrument divin dans le panthéon suméro-babylonien. La démonesse Lamashtu, dévoreuse d'enfants, tueuse de femmes en couches, séductrice d'hommes, est dotée d'un peigne, accessoire de la séduction, ainsi que d'un miroir, piège à âmes. L'homme archaïque ne se regarde qu'avec terreur dans le miroir, pensant qu'il y voit son âme passagèrement sortie de lui-même [11]. C'est d'ailleurs grâce à un miroir que Persée se rendit maître de Méduse.

Si le miroir est une fenêtre, par laquelle on voit des choses énigmatiques, il est également œil, dans bien des traditions antiques. Sozime le Parapolitain estime que c'est à la fois l'œil de l'esprit et l'œil des sens. Il est vrai que les jeux de miroirs supposent que l'un d'entre eux ait précisément la fonction de regard.

La tradition hébraïque relie également divinité et technique. Miroir et vision ont une étymologie identique : *re-i,* le miroir, et *re-a-i,* la vision. La tradition dit que Moïse aurait vu Dieu, non pas directement, mais dans ses reflets. Il a eu le privilège de le voir dans un miroir et non par énigme. Dans la très longue période qui suivra, le miroir sera considéré comme un instrument pour considérer l'univers en tant que manifestation divine. La vision sera floue, *in aenigmate,* confuse, par opposition à la vision directe.

Videmus nunc per speculum, in aenigmate; tunc autem facie ad faciem [12], écrit saint Paul. La science des miroirs se développe. Faire des miroirs concaves, convexes, coniques permet à l'homme de constater une transformation des sujets devant lesquels ils sont placés. C'est un simulacre de la puissance divine. Les jésuites s'investissent dans la technologie du miroir. Le père Filère publie en 1636 un ouvrage au titre évocateur : *Le miroir sans tache, des merveilles de la nature dans les miroirs, rapportées aux effets de la grâce pour voir Dieu en toutes choses et toutes choses en Dieu, et s'avancer par les degrés de la vertu jusqu'à la perfection.*

Pour le père Filère, qui s'inscrit dans la lignée rhétoricienne de la Compagnie de Jésus, l'autre étant théologienne, les effets des miroirs elliptiques, sphériques, paraboliques sont des figures d'une optique mystique. Le maître mot est ici celui de la subtilité, concept qui allie l'art de l'*ingenium* à la spiritualité. Ingénieux sont les agencements de miroirs qui produiront des énigmes dont la découverte engendrera ravissement et surcroît de piété. La soif de spiritualité s'étanchera dans le constat de la présence divine au travers des procédés artificiels.

Le miroir ne désigne pas alors la seule surface d'étain qui réfléchit. Son emploi métaphorique s'élargit. Ce sont les « exempla », tableaux qui représentent des scènes magistrales de l'histoire sainte, telles que la vie et la mort du fils de Dieu, les « images » telles que celles des saints protecteurs. Dressés sur la muraille de Tolède, ils réfléchissent la vertu des Bienheureux et repoussent les assauts des Infidèles. Sont également miroirs, l'eau, le vin, le sang, toutes matières réfléchissantes.

Marc Fumaroli montre le développement considérable de la fonction métaphorique du miroir [13]. L'image qui s'y trouve est dissociée de celui qui s'y regarde au point que ce dernier y contemple, fixé auparavant, sous forme d'exempla ou d'images, le reflet de vertu qu'il se doit de donner.

Le miroir est le signe manifeste de la présence divine, le réflecteur divin. Même si le père Mersenne réprouvait quelque temps auparavant les farces catoptriques tout justes bonnes, selon lui, pour quelques diablotins, il n'en reste pas moins que le couvent des minimes où il régnait avait été doté de grandes figures d'anamorphoses peintes par le père Niceron.

Gaspard Schott, contemporain et collaborateur d'Athanase Kircher, termine son traité par la phrase : *Christus est speculum,* Le Christ est miroir.

Le rituel de la projection

Le miroir, dont nous avions vu précédemment qu'il était technologie de l'illusion, avec les expériences de Vitellione ou de Roger Bacon, est également instrument mystique, instrumentalisé par les jésuites pour la propagation de la foi. L'objectif est de requérir tout moyen, dont l'éloquence, pour rendre présentes les choses absentes, déséquilibre qui nous est désormais familier, en l'occurrence le souvenir de l'histoire sainte. Tableaux, miroirs, peintures parlantes procèdent de la rhétorique des peintures de saint Ignace de Loyola. Le père Kircher, qui s'inscrit dans cette lignée, y ajoute un autre instrument, la lanterne magique. Les tableaux ne sont plus reflétés mais projetés, on passe de la catoptrique à la magie parastatique, en conservant le même projet, celui de convaincre *(quidquid volueris).* Le père Kircher est le point de passage entre la catoptrique et la science des projections lumineuses. L'histoire de l'« audiovisuel jésuite [14] » éclaire d'un jour nouveau la relation entre le divin et la technique à propos des machines à communiquer. La rhétorique jésuite, elle-même, s'inspire de la technique. La figure par excellence est la description, ou *ekphrasis.* Elle s'adresse à la Cour, habituée aux spectacles. Le projet mystique selon lui devient alibi. Ce qui importe, c'est de fabriquer des simulacres qui rivalisent avec le monde sensible. « Imiter la nature, pour les jésuites, conclut-il, c'est prouver que leur éloquence est capable de se substituer à elle. »

Et se développe alors une technique de construction du message : « La technique du " miroir ", du

" tableau ", de la " peinture parlante " est empruntée aux orateurs, romanciers et apologistes de la Seconde Sophistique. La stratégie psychagogique [*sic*] qu'elle est chargée d'illustrer et qui gouverne le " montage " de ces images " animées ", épouse en la retournant de l'intérieur vers l'extérieur, celle des exercices spirituels... Fabriquer pour les " sens inférieurs ", animer de couleur, saveur, odeur et doter de parole des spectacles sacrés dont la prégnance rivalise victorieusement avec le souvenir des spectacles naturels et mondains, attacher les passions et la volonté à ces spectacles plus vrais que nature, bien qu'ils lui empruntent ses blandices [15] : telle est la " rhétorique des peintures de saint Ignace ". »

Revenons à la théorie de Gilbert Simondon. Miroir et lanterne sont des instruments qui résultent de la pensée technique, associés par destination à la perpétuation de la « toile de fond », c'est-à-dire de la pensée magique. Le miroir n'existe pas, dans son usage, sans ce qu'il réfléchit, ni la lanterne, sans ce qu'elle projette. Or, leurs contenus sont d'essence mythologique, que ce soit le feu du ciel, l'âme de celui qui s'y regarde ou les tableaux de l'histoire sainte. En d'autres termes, celui qui regarde doit connaître le mythe de référence pour identifier la parastase et en comprendre le message. La composition de la scène, la succession des images sur la plaque de verre font alors l'objet d'un constat de conformité. L'instrument a une double fonction de reproduction et de vérification du mythe [16]. Dieu existe car Moïse a vu ses reflets, le Diable aussi, car il est apparu dans la salle obscure. L'agencement des dispositifs scéniques, l'obscurité, l'accompagnement sonore, les images projetées constituent un rituel, grâce auquel le public reconstitue un continu, qui n'y est nulle part présent. On retrouve là la conception du rite telle que Claude Lévi-Strauss la décrit dans « L'homme nu » [17] : une procédure très formalisée qui déroule sous forme de pratiques et d'évocations les phases majeures du mythe. Il y a de plus la peur, attirante, parfois déli-

cieuse, du spectateur qui sait que le Diable qu'il voit
le regarder ne l'emmènera pas tout de suite en enfer.
Cette connivence qu'entretient le pratiquant avec le
dispositif fait également partie du rite. La salle de
projection, avec ses artifices, est un lieu privilégié,
peut-être la persistance de la caverne en tant que point
clé, où se pratique et se renforce, puisque s'y vivifie
le mythe, le rituel de l'échange des simulacres.

La lumière du vitrail

Comment ne pas évoquer, à ce moment du propos,
la fonction dévolue aux cathédrales, aux XIIe et
XIIIe siècles. Nous y voyons en effet le vitrail, qui est
une organisation de verres peints, assemblés au plomb,
décrivant dans leurs phases successives les scènes et
paraboles de l'histoire sainte. Les mêmes se retrouvent
dans plusieurs lieux, celle du Bon Samaritain, par
exemple, à Bourges, à Sens et à Chartres. Dans un
sens qui va de la terre vers le ciel, la lecture s'organise
en quatre niveaux : le récit de l'histoire, l'allégorie qui
relie le sens littéral à la spiritualité, le déchiffrement
d'une morale ou lecture tropologique, la contemplation
ou vision anticipée de réalités invisibles. « Dieu est
lumière, écrit Georges Duby, et l'intérieur de son
église préfigure la Jérusalem céleste dont les murs,
selon le texte de l'Apocalypse, sont construits de
pierres précieuses. Voici la fonction du vitrail [18]... »
Cette lumière est transformée par la verrière en
messages divins. De tous ceux-ci, la rosace transmet
le plus glorieux : Dieu lumière, Christ. Les verres
lumineux éclairent sur le sol de grands labyrinthes sur
la signification desquels on hésite. A consulter les
spécialistes [19] il semble que ce soit une représentation
du parcours sinueux et semé d'embûches que l'homme
doit effectuer pour atteindre la Jérusalem céleste. Le
labyrinthe de Chartres était d'ailleurs dénommé le
« chemin de Jérusalem ». De nombreux croyants le
parcouraient à genoux en priant. Il fallait près d'une

heure pour le faire; de ce fait on appelait souvent ces labyrinthes des « lieux » [*sic*] : on effectue en effet quatre kilomètres en une heure, soit une lieue. Ce labyrinthe ne se trouve pas que sur le sol. La lecture des vitraux est, elle aussi, parcours de labyrinthe [20].

L'espace obscur de la cathédrale est non seulement illuminé, mais sonorisé. L'orgue incite à la prière et commente les images lumineuses. La cloche, à l'extérieur, symbolise la voix des prédicateurs [21]. « La charpente à laquelle elle est suspendue est la figure de la croix. La corde faite de trois fils tordus signifie la triple intelligence de l'Écriture, qui doit être interprétée dans le triple sens : historique, allégorique et moral. Quand on prend la corde dans sa main pour ébranler la cloche, on exprime symboliquement cette vérité fondamentale que la connaissance des Écritures doit aboutir à l'action [22]. »

La cathédrale apparaît ainsi comme un lieu où est organisée la sollicitation des sens pour que l'homme se représente le chemin qu'il doit parcourir en vue de son salut, autrement dit l'écart entre son état de pécheur et celui de la perfection.

La quête du simulacre parfait

L'exploration de l'univers religieux éclaire singulièrement le processus de genèse des machines à communiquer. Deux traits y apparaissent avec une grande régularité. L'un est la construction du simulacre, l'autre la correction des déséquilibres. Communiquer par des machines, c'est produire, stocker, distribuer des simulacres pour corriger des déséquilibres. Ces deux moments de la définition méritent qu'on y revienne.

Commençons par la question des simulacres. André Leroi-Gourhan a montré que l'homme est engagé dans un processus de longue haleine de reproduction artificielle de ses fonctions [23]. C'est évident pour les actes mécaniques. Cela l'est déjà moins pour les actes sensoriels. Mais il y a un exemple patent : celui de l'œil, dont il a déjà été question et dont Descartes établit clairement le parallèle avec la chambre noire. Si l'on suit la façon de voir d'André Leroi-Gourhan, la chambre noire fera l'objet de perfectionnements tant qu'on n'y verra pas des spectacles artificiels identiques à s'y tromper à ceux que l'œil contemple dans la nature. Les exigences pour le test final n'ont cessé de s'accroître. Le spectateur du XVIIIe siècle se contentait d'une pâle lueur que donnait sur le mur la lampe à huile logée à l'intérieur de la lanterne. Et Kircher parlait d'une « lumière splendide ». L'acuité visuelle a diminué mais l'exigence a augmenté. Dans le processus de production des simulacres, l'homme cherche à tromper ses sens de mieux en mieux [24]. La mécanique interne est simple. Les sens, la vue et l'ouïe, aiguisés par la précédente génération d'invention, le cinéma en couleurs, par exemple, ou la stéréophonie, attendent mieux car la comparaison itérative avec la nature donne un résultat insatisfaisant. L'holographie, la télévision à haute définition, le cinéma en géode sont des améliorations contemporaines analogues de ce point de vue aux plaques animées qu'inventa M. Van Musschenbroek au début du XVIIIe siècle. Ce qui est vrai du paysage l'est aussi pour la personne. Certains chercheurs fondent ainsi des espoirs illimités dans l'intelligence artificielle. Ils sont en cela héritiers des automaticiens du XVIIIe siècle. Les prothèses font de grands progrès. Grâce à la micro-informatique, les aveugles échangent facilement des textes avec ceux qui voient.

Il y a donc une marche sans arrêt ni retour vers des simulacres de plus en plus « parfaits ». La quête risque d'être éternelle puisque nos sens sont constamment aiguisés dans leurs exigences par la précédente génération de machines. Chacune contribue, par l'influence perceptive et culturelle qu'elle exerce, à nous faire voir différemment la nature. Cette quête constitue ce qu'on peut appeler un déterminisme de l'illusion. Mais la contemplation de la nature ne suffit pas. De grands mythes régissent tantôt l'inventeur, tantôt l'entourage. La machine constitue un lieu actif entre les possibilités de réalisation technique et la toile de fond que gère la pensée religieuse. Celle-ci contemple l'unité du monde et y repère de multiples déséquilibres. La technique, dont le statut est inférieur à cette unité, qu'elle recherche inlassablement à conquérir, fonctionne comme une sorte de bras séculier. Tel appareil résorbera tel déséquilibre, voici le postulat.

L'instrument privilégié de cette recherche sans fin est la pensée inductrice. Concevoir une machine, c'est en effet imaginer un dispositif qui transforme la matière, c'est-à-dire qui la fait passer d'un état d'entrée à un état de sortie. Il s'agit bien d'organiser ce passage par une série de transformations physiques, travail identique à celui du scientifique qui élabore une théorie et l'argumente. La machine est une généralisation qui relie de façon organique les différents états de la matière. En cela elle constitue une théorie.

Dans le cas qui nous occupe, le matériau d'entrée est le paysage perçu, ou bien une production de l'individu, telle la voix. Le produit élaboré est un simulacre. La pensée inductrice élabore des machines-théorie qui relient les hommes aux simulacres.

Par ailleurs, elle fonctionne sans fin. Nourrie de l'expérience acquise par l'usage des machines antérieures, elle fixe plus haut le seuil d'acceptation du simulacre. Enrichie des métaphores contemporaines, liée profondément à l'idiosyncrasie de ceux qui la pratiquent, elle se nourrit des surplus, des projets, des sensibilités de l'époque, en bref de tout un stock de matériaux changeants qui assurent son renouvellement constant.

Dans les textes des inventeurs, on trouve toujours la référence à la fonction humaine qui constitue la mesure d'imitation, élaborée bien sûr en fonction des connaissances du temps. L'androïde de Vaucanson n'est pas l'« homme neuronal » auxquels se réfèrent volontiers les chercheurs contemporains en intelligence artificielle.

Les mythes influent la création mythologique. De

nos jours, celui de la connaissance exhaustive est vivace. Akio Morita, fondateur de la firme japonaise Sony, écrivait récemment : « J'aimerai voir bientôt le jour où toutes les informations du monde seront réunies dans une seule banque de données [25]. » Et à voir tout ce qu'a réalisé cet homme, la capacité de stockage des disques CD-ROM [26] que sa firme a contribué à mettre au point, on éprouve le sentiment, illusoire certes mais effectif, qu'il serait capable d'y arriver. Un autre Japonais, Yoneji Masuda, a défini il y a quelques années, dans *The Information Society* ce que serait la société qui succéderait à la société industrielle. Il reprend à son compte les objectifs qu'imposait Adam Smith à la société, en 1776, dans *Richesse des nations :* bien-être matériel pour tous, indépendance et autonomie de chacun. La société industrielle n'a jamais permis de réaliser que le premier objectif, et seulement pour les pays les plus avancés. Pourquoi? Parce que, dit-il, l'axe de la production et de la consommation de masse tourne autour des machines et du pouvoir. Masuda définit alors un projet de société qu'il appelle « computopia », abréviation de Computer Utopia. « Cette société sera globale, dans laquelle des communautés de citoyens volontaires qui participent volontairement à des objectifs approuvés par tous fleurissent simultanément dans le monde. »

La technologie y joue un rôle déterminant dans l'avènement d'un modèle de société, rendant possibles trois choses : le développement des réseaux d'information, qu'autorise la communication par ordinateur, la simulation des modèles politiques, et des boucles de feed-back pour les opinions individuelles. Le dernier chapitre de son ouvrage s'intitule « La renaissance d'un synergisme théologique de l'homme et de l'être suprême ». L'homme condamné à vivre sur terre, ne peut continuer, comme il l'a fait jusqu'à présent, à entretenir des rapports hostiles avec la nature. La technologie a ses limites, car elle découle, pour lui, de principes scientifiques qui nous échappent. L'alliance avec la nature s'impose, et la nature, c'est Dieu; elle passe par la société de l'information. On retrouve cette angoisse chez Akio Morita, qui, par trois fois dans son livre *Made in Japan* se demande si nous saurons faire la technologie qui assurera la survie de l'humanité.

Le mythe est aujourd'hui que les machines à communiquer régleront les problèmes que connaît le monde, en permettant l'avènement d'une société différente. Le technicien est à la fois conscient de l'enjeu et des limites de sa machine. Il y a donc une sorte de déséquilibre dynamique auto-entretenu entre l'objectif mythique et l'état de l'art. Si l'on accepte l'analyse de Gilbert Simondon, il en sera toujours ainsi, sauf à revenir à l'unité magique primitive, ce qui explique peut-être certaines persistances, telles que celles du goût pour la salle obscure du cinéma, des mythes latents du village planétaire ou de la vidéo communautaire. Inversement, on pourrait dire aussi que les machines à communiquer, dans les représentations qu'en construit la société, sont les séquelles persistantes de cette unité primitive. Elles ne fabriquent pas de biens de production, elles ne transforment pas de matériaux, elles gèrent des mots, des images, des sons, toutes choses avec lesquelles n'importe qui peut construire un monde qui soit à la portée de ses outils. Les machines à communiquer sont bien des baguettes magiques.

Les mots employés pour décrire ce monde deviennent instructions pour la technique. Inversement, la technique devient règle, à l'instar de la règle dominicaine. Et les profanes, eux, se trouvent toujours en dehors du temple.

IV

Entourage technicien
et exploration des possibles

Les inventeurs ne gardent que très rarement leurs trouvailles pour eux. Généreux, ils veulent en faire profiter l'humanité. N'en a-t-elle pas besoin pour atténuer ses maux ? Mais leur offre ne serait pas entendue si n'existaient autour d'eux des personnes qui la propagent, l'amplifient et souvent la détournent de son objet initial, en substituant à ceux de l'inventeur leurs propres fantasmes. La démarche intellectuelle n'est pas la même. Les inventeurs font un travail d'induction pour créer la nouvelle machine. Leur entourage accueille celle-ci comme une donnée et s'applique à en déduire des applications.

Les inventeurs sont préoccupés par la simulation d'un phénomène et par les conditions de sa réalisation physique, tandis que l'entourage n'a pas ce souci. Le propos est ici de montrer qu'il s'ingénie à préconiser l'emploi, voire à utiliser lui-même la nouvelle réalisation pour corriger des situations où il perçoit des déséquilibres de toutes sortes : objectifs, culturels, économiques. Ce discours est naturellement prophétique mais il organise aussi des situations concrètes, dont certaines vont être examinées plus loin. Un événement remarquable dans les projets est le rôle qui est dévolu à l'utilisateur envisagé. En effet, ce rôle procède directement de la représentation que se fait l'entourage des emplois possibles de l'appareil.

Toutes sortes de gens interviennent dans cet entourage. Des prosélytes apparaissent, contrés parfois par quelque récalcitrant qui refuse de croire. On est atteint ou non par la grâce de l'invention et l'on se met alors à imaginer toutes les situations possibles dans lesquelles on pourrait l'employer, ce qui donne lieu à d'ahurissants catalogues, que l'histoire se doit de conserver, car ils révèlent les mythes d'une époque. La production imaginaire ne se cantonne pas dans le discours, elle conduit à des réalisations. Les années 70 ont ainsi vu fleurir les expériences de vidéo communautaire, qui se sont volatilisées depuis. Vulgarisateurs, animateurs et pédagogues sont, parmi d'autres, les « haut-parleurs » de l'invention, ainsi que nous allons le voir sur trois cas concrets.

Savants, phonographes et téléphones

Les savants occupent des places de premier plan dans l'entourage de l'inventeur. Au XIXᵉ siècle l'Académie des sciences de Paris examine et donne la caution scientifique aux appareils de communication, alors qu'aujourd'hui on ne lui présente plus chaque nouvelle caméra ou lecteur de disque laser. Un de ses membres les plus actifs fut Théodore du Moncel. Vulgarisateur de grand talent, il publia, on l'a vu, des sommes qui firent autorité aussi bien sur l'électricité que sur le télégraphe et le téléphone. Souvent rapporteur des inventions soumises à la docte assemblée, il est précisément de ceux qui imaginent, à la place des inventeurs, leurs multiples emplois [1]. « Le télégraphe électrique, écrit-il en 1856 dans son *Exposé des applications de l'électricité,* a une existence à part; il ne peut être remplacé, il fait ce que la poste ne peut pas faire; il distancie les pigeons voyageurs, il va plus vite que le vent, il arrache le sablier de la main du temps, et efface des limites de l'espace. »

Du Moncel formule bien avant nous les caractéristiques essentielles des machines à communiquer et en applique le principe à une foule de situations dont certaines ont été retenues par l'histoire. D'autres, en revanche, sont restées lettre morte. En voici deux aperçus :

Avertisseur électrique pour les concierges :

« Il est souvent nécessaire, pour les personnes qui ont à s'occuper de nombreuses affaires, de faire savoir, plusieurs fois dans la journée, à leur concierge, si elles peuvent recevoir ou si elles peuvent fermer leur porte. Or, pour peu que l'on demeure à un étage élevé, ce soin devient tellement fatigant qu'on préfère, la plupart du temps, ne rien dire au concierge, au risque de rendre inutile la peine prise par les visiteurs de monter plusieurs étages. Au moyen de l'appareil que je vais décrire, et que j'ai appelé " avertisseur électrique ", le concierge peut être prévenu sans qu'on ait à se déranger; et comme le signal qui est fourni reste immobile jusqu'à ce qu'on le remplace, on a l'avantage de laisser au concierge un indice certain qui peut suppléer à sa mémoire. »

Cet appareil, comme on l'aura deviné sans doute, n'est autre que l'appareil des signaux de chemin de fer.

Plus étonnante encore est l'application suivante :

Télégraphie électrique et cimetières :

« Nous signalons avec bonheur, dit le *Cosmos* du 6 septembre 1854, une nouvelle application du télégraphe ou plutôt des timbres électriques. De son bureau, situé à l'entrée du cimetière Montmartre ou du Nord, lorsque le conservateur voudra parler à l'un des gardiens, celui-ci fût-il à l'extrémité du cimetière, il lui suffira de toucher un bouton pour que son appel soit entendu à l'instant même. Trois timbres placés sur trois points différents sont mis en communication avec le bureau à l'aide des fils conducteurs qui, enfouis en terre et recouverts d'une épaisse couche de gutta-percha, courent dans toutes les directions sans que l'œil puisse jamais les percevoir. Grâce à cette innovation, on n'entendra plus dorénavant le long et lugubre coup de sifflet qui retentissait jusqu'à l'entrée de chaque convoi amenant un corps à sa dernière demeure. »

Le pittoresque des applications met en relief le principe d'exploration des possibles. Le modèle télégraphique peut s'insérer dans une grande diversité de situations. Mais l'imaginaire construit diffère profondément d'un simple discours en cela qu'il est réalisable, car le dispositif physique existe. Le prosélyte l'a adopté et le projette sur la réalité qui l'entoure. Et parfois, cela marche jusqu'à prendre une extension considérable. Dans son livre de 1986, *Amusing Ourselves to Death* [2], Neil Postman montre que, dans les années 1840, les directeurs de journaux américains se mirent à investir dans le télégraphe. Jusqu'alors, les gazettes ne contenaient que des informations liées d'une façon ou d'une autre à l'intérêt immédiat des lecteurs. Mais tout change avec l'apparition du télégraphe. Le pourcentage de nouvelles télégraphiques, quel que soit leur contenu, devient un argument de vente et le public s'habitue ainsi à prendre connaissance d'informations qui ne le concernent pas mais qui lui parviennent rapidement. La rapidité se substitue ainsi à la pertinence comme critère d'intérêt et l'on doit cela au télégraphe qui donnait une légitimité à une information dépouillée de son contexte. James Bennett du *New York Herald* se vantait que son journal contenait, pour une semaine, quelque 79 000 mots de dépêches télégraphiques.

L'entourage explore ainsi l'ensemble des possibles techniques. Dans le cas présent, Postman raconte que le développement des nouvelles télégraphiques a entraîné celui de la transmission des photos, les premières constituant un appel des secondes. On voit ici fonctionner le jeu interne des filières techniques, mises à jour par B. Gille, dont le déclenchement est un phénomène d'entourage.

Des figures de l'entourage des inventeurs du phonographe ont déjà été évoquées ici, telles que Janssen et du Moncel. Thomas Edison, qui possède un sens aigu des relations publiques, sens qui fait totalement défaut à Charles Cros, a engagé des représentants de haute volée, MM. Puskas et Gouraud qui fréquentent les milieux scientifiques et font les présentations à l'Académie des sciences. Georges Gouraud, Janssen et Théodore du Moncel préconisent une large palette d'emplois du phonographe. Il servira pour le secrétariat. On dictera la correspondance que le typographe retranscrira directement. La lettre dictée sera envoyée sous forme de disque par la poste et Janssen dit l'utiliser effectivement. Gouraud raconte que tous les matins il reçoit une lettre parlante lui donnant tous les détails de ce qui se passe chez lui en son absence.

Le phonographe servira, comme toute machine à communiquer – ce n'est pas un hasard –, à l'éducation. Gouraud, de nationalité américaine, parle de l'apprentissage des langues étrangères : « Un Français lut cette traduction devant le phonographe, et, après bien des répétitions, j'ai pu corriger mon accent; et si j'ai fait quelques erreurs, c'est bien ma faute, et non celle du phonographe [3]. »

Ce n'est pas la machine qui se trompe, mais l'homme. Cent ans plus tard, les informaticiens diront la même chose de l'ordinateur. Ainsi apparaît déjà le sentiment de l'imperfection humaine devant la rigueur indifférente de la machine. Edison déclare lui aussi que ses projets concernent l'éducation et du Moncel propose que l'enfant s'exerce à épeler et à apprendre par cœur une leçon récitée par le phonographe. On songe même à la formation continue, puisqu'un ingénieur, G. de Burgraff, pense que les avocats pourraient ainsi apprendre, en se corrigeant, les effets oratoires. Gouraud estime que l'homme politique devrait se servir du phonographe pour s'entendre comme les autres l'entendent. Dans l'hypothèse où l'homme politique devient chef de l'État, voici ce que suggère P. Giffard : « Pour les discours officiels du chef de l'État, pour une proclamation quelconque émanant du gouvernement, au lieu d'avoir recours à l'Imprimerie nationale pour faire imprimer le discours, on n'aura plus qu'à le faire reproduire par la galvanoplastie et à l'envoyer à toutes les communes, munies, au préalable, d'un phonographe officiel et contrôlé [4]. » Ce qui nous permet au passage de noter que le contrôle des moyens de communication est, comme on le constate, profondément ancré dans la tradition française. L'auteur poursuit : « La main fera tourner l'appareil et la population rassemblée sur la place du village entendra les accents vénérés du chef de gouvernement. »

Il y a aussi des projets inclassables, dont certains ne sont pas dénués de poésie. Comment n'a-t-on pas retenu la proposition de du Moncel, dont l'imagination est inépuisable, de doter de phonographes les horloges publiques? Giffard propose de mettre sur disques les romans ordinaires à cinquante centimes. On enregistrera aussi les prévenus et, au théâtre, on mettra le phonographe à la place du souffleur. Enfin, le phonographe servira à enregistrer la voix de ceux qui vont mourir.

L'entourage scientifique et journalistique prend donc en main, à la fin du XIXᵉ siècle, l'invention du phonographe. Elle inventorie un ensemble de situations où il pourrait servir et en formule immédiatement les applications, en une sorte de déduction automatique. Toutes ces situations recèlent un déséquilibre, relatif à l'éducation, à l'absence, à la mort que la machine phonographique contribuera à corriger. Est-il besoin d'ajouter que ces propos étaient sans objet, ou bien très en avance sur leur temps?

Animateurs sociaux et vidéo militante

Changeons d'époque. Cent ans plus tard. Les années 70. La sphère technicienne comprend d'autres acteurs que ceux qui firent la promotion du télégraphe et du téléphone. Un cas intéressant est celui des animateurs sociaux, métier dont la création découle de l'urbanisation. Les cités modernes n'ayant plus d'âme, il vint à l'esprit des hommes politiques de créer un corps de spécialistes dont le rôle serait en quelque sorte de la leur rendre. A partir de 1970, apparaissent de nombreux projets d'animation ou d'éducation permanente qui envisagent l'emploi par les intéressés de ce qu'on nomme alors l'« audiovisuel léger », essentiellement photographie et vidéo. Il est avancé que ces deux techniques aideront à la formation permanente, à l'expression des groupes, au décloisonnement social, ou à « changer la vie ». Les animateurs socioculturels, qui auraient pu rester de simples usagers de l'appareil, s'enthousiasment pour lui, y voyant, entre autres, un facteur de promotion sociale pour eux, et se définissent bientôt eux-mêmes comme des techniciens de cet outil. A l'instar des savants du siècle dernier, ils vont en imaginer alors les emplois possibles pour corriger les déséquilibres de la vie urbaine contemporaine. Ils articulent la vidéo et le social dans une multitude de projets. Ceux-ci trouvent leur accomplissement suprême dans les télévisions communautaires, que l'on voit alors fleurir au Québec. Pierre Richer anime l'une de ces stations. Selon lui, sept points clés définissent ce qu'on appelle alors le « câble communautaire » : démocratisation, participation, information, animation, expression, apprentissage, éducation et télévision à la demande [5].

En ce qui concerne l'objectif de démocratisation, il précise : « Chacun doit pouvoir être informé et s'exprimer. Il faut donc multiplier les émissions " ligne ouverte ", où tout le monde peut dire ce qu'il veut et les émissions en direct du Conseil municipal. » Et à propos de la participation : « Les animateurs de télévision locale doivent être sur tous les " coups " qui concernent la population et inciter les citoyens à s'exprimer, à créer leur propre émission [6]. »

Pour l'ensemble des projets, la participation se définit comme une prise en main par les intéressés eux-mêmes de l'outil de production audiovisuel.

Un autre exemple, situé en France, éclaire le rôle des animateurs.

La Villeneuve est le premier quartier de Grenoble-Échirolles qui, selon le projet initial, devait accueillir dix mille habitants en 1973. C'est un programme de

HLM et d'ILN qui, pour un coût standard de construction, a donné une part très importante aux équipements collectifs. Au chapitre du centre audiovisuel, le texte du projet précise en 1971 : « Ce premier quartier est le théâtre d'une expérience d'équipements intégrés dans lesquels les fonctions d'éducation, de loisir, d'animation culturelle se coordonnent sans ségrégation de publics, de niveaux d'âge, grâce à un ensemble d'équipements pluridisciplinaires. »

Le projet de télédistribution énumère les tâches suivantes pour ce centre :

– assurer la diffusion de messages audiovisuels de type différent adaptés aux besoins de la Villeneuve;

– assurer la production des documents audiovisuels de type nouveau adaptés aux différentes situations culturelles;

– permettre une formation de tous;

– participer à toutes les situations d'animation globale où les moyens audiovisuels peuvent faciliter l'expression et la communication.

Autant de modalités techniques pour l'accomplissement d'objectifs sociaux que la municipalité – PSU, à l'époque – avait assignées à la Villeneuve : « ...décloisonnement des publics et des activités, plein-emploi des équipements, humaniser la vie urbaine, s'opposer à la ségrégation sociale dans le domaine de l'habitat, de l'enseignement et de la culture, coordonner les actions éducatives dans une conception de l'éducation permanente, proposer à tous une formation permanente par les moyens audiovisuels en accord avec les principes d'animation [7] ».

De 1971 à 1974, une « vidéogazette » est installée dans le CES qui a aussi la fonction de maison de quartier, sorte de centre culturel local. Elle est fondée sur l'exemple du vidéographe québécois : on met des caméras et des magnétoscopes à la disposition des habitants pour fabriquer des émissions de leur choix. Elles sont d'abord projetées chaque samedi après-midi, puis, lorsque le câble est mis en service – en 1974 –, diffusées sur celui-ci.

La même intention préside à la création du vidéographe de Montréal. C'est un centre de production, installé à Montréal, ouvert jour et nuit à tous, pour y produire et y montrer des émissions tournées en vidéo. Normand Cloutier, son fondateur, en définit ainsi la fonction : « Le vidéographe n'a pas pour objectif d'entraîner les jeunes ou les citoyens à la manipulation des appareils. C'est là le rôle des écoles. Il les oriente plutôt vers des objectifs de production et leur permet de s'exprimer tout en acquérant une éthique de production. Le responsable d'un projet doit donc se débrouiller seul pour trouver l'équipe de soutien dont il a besoin : idéateur, scénariste, cameraman, monteur, graphiste, compositeur, etc. L'équipe-cadre du Vidéographe se contente de mettre les jeunes en contact les uns avec les autres et joue un rôle de conseiller (idéologique et technique) en cours de production d'un document [8]. »

De novembre 1971 à mars 1972, le Comité de programme examine deux cent douze projets dont cinquante-deux sont acceptés. Lorsque je m'y suis rendu en 1973, Robert Forget, son animateur, envisageait de créer un sonographe, dispositif analogue au vidéographe pour la création et la distribution de cassettes sonores.

Mais le grand projet québécois fut l'opération intitulée « Multimedia ». Le Conseil des ministres de la province de Québec approuva le 2 décembre 1970 un mémoire du ministre de l'Éducation définissant les objectifs généraux du projet :

« – permettre aux adultes de développer une meilleure compréhension d'eux-mêmes et de leur milieu et ainsi de participer plus pleinement au développement socio-économique de ce milieu;

« – permettre aux adultes de parvenir à une formation reliée à leurs besoins, à leurs modes de vie et à leur capacité, compte tenu des besoins et des priorités de la société québécoise en général et de ceux du marché du travail en particulier;

« – fournir chez les adultes, dans une optique d'éducation continue, une capacité à utiliser et à développer les ressources informatives et éducatives, actuelles et futures du milieu;

« – faire progresser de manière cohérente, à des fins d'éducation des adultes, l'utilisation des moyens technologiques et pédagogiques nouveaux. [9] »

Le dispositif de l'opération a pour objectif de recueillir des données sur les nouveaux besoins en formation à l'échelle de la province et de mettre en place les structures qui y répondront. Il comporte trois étapes successives :

1. Réalisation sur place de projets définis par les participants. On fera appel aux ressources du milieu et « Multimedia » fournira un soutien par ses animateurs et par des médias « légers » : journal, photographie, dessins, vidéo.

2. Mise en chantier de projets qui ne concernent plus le seul groupe d'initiative, mais la collectivité qui l'entoure.

3. Réalisation de projets à l'échelle de la province.

La première phase du projet se déroula de façon très satisfaisante. Pendant l'été 1973, il y eut quatre-vingt-cinq projets en cours. La diversité des titres manifestait celle des intérêts : « Développement de la personnalité, Réflexion sur notre situation de chômeurs, Le projet HLM de la place des Pins, Les femmes séparées, Les femmes libérées en puissance, Le Bill 22, La télévision communautaire. »

De sérieuses tensions commencèrent à se produire lorsqu'on passa à la troisième étape. « Multimedia » organisa alors des tables rondes avec les intéressés pour décider du contenu d'émissions de télévision pour l'ensemble des publics. En 1975, un nombre important d'animateurs démissionna, reprochant à la direction du programme de ne pas avoir tenu compte des propositions émanant des groupes de base pour l'orientation et la programmation de l'année 1975-1976.

« Fer de lance », est un programme d'inspiration similaire, lancé dans la région de Sherbrooke. Il rassemble la Commission scolaire, qui gère écoles et collèges du district, l'université, ainsi qu'un centre spécialisé dans la formation des adultes. Le projet se présente sous un aspect ambitieux : « changer la société ». L'équipe dirigeante met des animateurs à la disposition des groupes qui en font la demande pour les aider à construire leurs projets, à trouver les personnes-ressources [10] (ce terme est né au Québec) et à suivre les formations préalables nécessaires.

Comme dans les autres cas, « Fer de lance » met à la disposition des intéressés un atelier pour la photo et la vidéo.

La proximité de la période d'enthousiasme pour la vidéo communautaire, l'attention qu'elle suscita permettent de comprendre pourquoi les animateurs sociaux adhérèrent à l'entourage des promoteurs de la vidéo.

Ils y virent, par la mise en œuvre de ces projets, une chance inespérée de mieux atteindre leurs objectifs sociaux. Ce sont pour la plupart des militants qui tentent de réaliser un projet politique. Au-delà, l'enjeu est pour eux de se donner une nouvelle qualification et de conquérir un statut ainsi qu'une reconnaissance.

Dans un texte qu'ils consacrent au réseau communautaire de télévision, les animateurs de la Villeneuve situent leurs objectifs par rapport à ceux de la télévision. Ils reprennent à ce propos l'argumentation de McLuhan qui tend à prouver que « le réel message de la télévision réside dans la manière dont elle influe sur l'organisation sensorielle de l'homme » [11]. Mettre sur pied un projet vidéo, c'est, selon eux, lutter contre les nuisances actuelles de la télévision : effets du temps de visionnement, prégnance des stéréotypes, contrôle politique et économique de l'information. C'est combattre aussi le schéma unidirectionnel de la communication qu'est la séquence émetteur-message-récepteur. Faisant référence aux tentatives de télévision communautaire en Amérique du Nord et à l'apparition de matériels de moins en moins onéreux, on peut envisager, estiment les auteurs, « une information prise en charge par la collectivité et cherchant à favoriser la participation de tous à la vie de la cité ». La production, affirment-ils, peut être prise en charge par les non-professionnels, la diffusion peut être mobile et se déplacer dans les entreprises, les écoles.

« Les projets seront acceptés ou refusés en fonction de deux critères majeurs :

« 1. Le vidéo [*sic*] est relié aux situations et/ou actions de promotion que vivent les couches populaires à Sherbrooke et dans la région (i.e. les citoyens exclus des mécanismes de décision).

« 2. Le vidéo sera diffusé à des groupes de citoyens concernés en vue d'amorcer un échange avec eux dans la perspective de faire avancer leur action ou leur prise de conscience [12]. »

Les équipes insistent en effet sur le processus engendré par l'intention de produire un document vidéo. Le texte suivant, extrait de *La Gazette de « Multimedia »*, décrivant ce qu'est un processus d'animation sociale, l'illustre bien :

« Colloque : on dit chacun son mot,

« – table de production : on en rediscute et on cherche en petits groupes,

« – tournage 16 mm. On va filmer du monde pis [*sic*] des choses qui ont du rapport,

« – tournage en studio : des techniciens nous aident de leurs connaissances,

« – montage : on ramasse ça ensemble,

« – console : on récolte des témoignages ici et là,

« – interview : pis [*sic*] là on présente ça à tout le monde à la télé,

« – diffusion : en espérant que ça ne finira pas là [13]. »

A la différence des textes des projets fondateurs, qui ne s'expriment sur l'audiovisuel que de façon très générale, les animateurs décrivent précisément la chaîne des opérations, tout en minimisant certaines difficultés, celle du montage, par exemple.

Mais surtout, la vidéo est pour eux le moyen, sinon le prétexte, de faire réfléchir des groupes, de les inciter à rencontrer d'autres personnes, de les aider à formaliser leurs analyses. Le vœu qu'exprime le dernier texte cité est sans équivoque.

Ces projets se réfèrent à une idéologie de prise en charge, par la base, de son avenir, prise en charge dans des micro-contextes locaux. Les animateurs voient ainsi la possibilité de s'insérer et de jouer un rôle actif dans le jeu politique. La vidéo occupe une place déterminante dans cette représentation, dans la mesure où elle signale leur existence à la population, en tant qu'opérateurs d'une contre-télévision.

Manifestement, ici aussi, la vidéo est envisagée comme contre-pouvoir, c'est-à-dire comme correcteur de déséquilibres. On suppose corollairement que l'usager fantasmé, l'usager rêvé, adhère à ce projet. Son désintérêt manifeste a révélé le caractère utopique du projet.

Pédagogues et machines à enseigner

Lorsque apparaît une nouvelle à communiquer, surgit simultanément le projet de l'employer pour l'éducation. On pense généralement, y compris dans les milieux de spécialistes, que le projet éducatif vient par la suite. Il n'en est rien et cela mérite d'être souligné. C'était le cas du père Kircher et nous venons de voir qu'il en était de même pour le phonographe. Très tôt, dès le début du siècle, sont construites des machines à enseigner les langues vivantes, qui associent au phonographe un mécanisme qui feuillette les pages d'un livre; sur ces pages sont imprimés les mots qui sont prononcés par ailleurs. Un exemplaire de cette machine est conservé à la Phonothèque nationale. La télévision ouvre ses antennes en France en 1949. La même année, est conçu le projet de télévision scolaire, dont les premières émissions passeront sur les écrans en 1953. Dans les années 60, qui virent fleurir de nombreux dispositifs électroniques, les projets pédagogiques foisonnèrent. Dès que l'ordinateur connut des applications autres que militaires, commencèrent les travaux relatifs à l'enseignement assisté par ordinateur. On ignore généralement que ces expériences eurent lieu aux États-Unis comme en France, dès 1963. Cette année-là, les universités de Grenoble et de Toulouse dispensaient déjà par ordinateur, des CAB 500, des exercices de programmation informatique.

Ces pédagogues ne relèvent pas forcément de l'institution scolaire. Le plus souvent d'ailleurs, ils se trouvent en dehors et voient mieux, peut-être pour cette raison, les possibilités d'innovation, tout en étant moins inhibés que ceux qui s'y trouvent par la connaissance des résistances qu'ils y rencontreront.

Alfred Molteni est de ceux-là. Petit-fils d'un fabricant italien d'instruments optiques venu s'installer en France, il exerce l'industrie familiale, tout en développant un véritable militantisme pédagogique pour l'emploi des projections lumineuses à l'école. Il a un complice en la personne de Stanislas Meunier, le propriétaire de la chocolaterie du même nom. Molteni écrivit un recueil, *Instructions sur l'emploi des appareils de projection,* qui connut quatre éditions. Son livre débute par une critique très vive de l'enseignement : « En projetant, on facilite l'enseignement d'une façon notable. Cela permet de mettre de la variété. Instruire en amusant, c'est ouvrir l'esprit de l'élève, lui donner le désir d'aller au-delà de ce qu'on enseigne... d'y trouver un moyen de plaisir au lieu de quelque chose de rebutant qui n'inspire que du dégoût et de la lassitude.

Malheureusement, tel a été jusqu'ici, en général, le résultat produit par l'enseignement, au lieu d'inspirer le désir de savoir et d'apprendre à apprendre. »

Améliorer l'enseignement, voici un nouveau projet de rééquilibrage que se voit assigner la lanterne magique.

En 1880, Stanislas Meunier et Alfred Molteni font à la Sorbonne une conférence sur les projections lumineuses. Le grand amphithéâtre est comble, et, selon le témoignage retrouvé [14], enthousiaste. Stanislas Meunier parle tandis qu'Alfred Molteni manipule les appareils. Le public de pédagogues voit défiler successivement une partie de la surface scolaire, le globe lunaire, une éclipse de soleil grâce à un tableau animé, les principales formes d'aérostats, la machine à perforer les montagnes, une presse hydraulique, la coupe en long du téléphone de Graham Bell, le microphone, les globules du sang, la photographie microscopique, des paysages, des tableaux de grands peintres. L'intention est claire. Les conférenciers démontrent que cette technique peut être employée dans toutes les disciplines. Mais ils vont plus loin. Meunier déclare que le professeur peut fabriquer lui-même ses dessins sur un verre dépoli à l'aide d'un crayon à mine de plomb et s'adresse à l'assistance pour que quelqu'un en fasse l'expérience dans l'instant, expérience qui préfigure le rétroprojecteur. Ils passent ensuite à la projection d'objets physiques transparents ainsi qu'à celle de petits animaux vivants contenus entre deux plaques de verre.

Thomas Edison est un autre pédagogue. L'éducation le préoccupe, nous l'avons vu, plus que la distraction. Nous détenons une indication intéressante sur la relation qu'il voyait entre instruction et cinéma, invention à laquelle il a contribué. A un journaliste du *New York Dramatic Mirror* qui l'interviewe en 1913, il assure que tout l'enseignement américain se fera dix ans plus tard par le film, vision utopique puisque de nos jours l'audiovisuel n'a pas encore fait une entrée décisive à l'école.

Seymour Papert, mathématicien, ancien collaborateur de J. Piaget, connu pour ses travaux relatifs à l'emploi de l'ordinateur par les enfants s'inscrit dans cette lignée [15]. Son point de départ réside dans ses travaux sur la simulation du raisonnement, ce qu'on appelle intelligence artificielle. Il met au point, autour des années 70, en relation avec Marvin Minsky et Wallace Feuerzeig, un langage de programmation, Logo, qui, à l'aide d'instructions très simples, du type AVANCE, RECULE, TOURNE À DROITE, À GAUCHE, commande les mouvements d'un robot dénommé « tortue », à cause de sa relative ressemblance avec l'animal. Le projet est alors de construire un corpus des stratégies qu'emploient les enfants pour résoudre des problèmes de type géométrique. Puis la « tortue » est mise sur écran et il est alors possible de faire des dessins plus compliqués que ceux que permettait le crayon dont dispose la « tortue » de plancher. Le langage Logo qui hérite du langage Lisp, particulièrement adapté à la manipulation de listes de mots, autorise également le jeu avec les lettres et les mots.

Papert, au vu de résultats encourageants, se tourne alors vers un projet pédagogique : mettre l'ordinateur au service des enfants. Son apport fondamental est de concevoir un système centré sur l'enfant – ses travaux avec Piaget sont ici réinvestis – et non pas sur l'ordinateur. Son souci est en effet de ne pas construire un modèle réducteur des enfants, de ne pas leur construire un espace d'usage dans lequel ils seront incapables de se mouvoir. Le propos de Papert, avec qui je collabore depuis plus de dix ans, a souvent été mal compris. En particulier, on a passé sous silence son intérêt pour la communication. L'ordinateur est dans sa conception un outil qui permet à des enfants – c'était l'hypothèse – d'échanger, au sujet d'une construction de programme décidée en commun, des propos de mieux en mieux structurés, ce qui n'est pas le cas, on en conviendra, avec la télévision. Encore faut-il qu'ils en éprouvent un réel besoin, en d'autres termes qu'ils se trouvent dans des situations à déséquilibres réels qui les incitent précisément à ce type de communication. L'école n'est pas pour cette expérience l'univers adéquat et dans son livre *Jaillissement de l'esprit* [16], Seymour Papert souligne qu'il faudrait imaginer d'autres lieux pour que cela puisse se produire autrement qu'artificiellement. Les expériences conduites depuis plus de dix ans tendent à vérifier le bien-fondé de la thèse, l'école n'ayant pas réussi de façon probante à dispenser à tous la pratique de l'ordinateur.

Le postulat machine

On ne peut s'empêcher de comparer ces savants, ces vulgarisateurs, animateurs et pédagogues, à des explorateurs. Les terres vierges ne sont plus brousses et savanes, mais comportements cognitifs et pratiques sociales. Le drapeau à planter n'est plus celui d'un pays conquérant mais celui d'une technologie. L'intention n'est plus d'apporter, comme on disait autrefois, la civilisation mais de résorber une multitude de déséquilibres, qu'ils aient trait à l'ignorance, à la solitude, à la crainte de la mort ou à la domination. Dans certains cas, il ne reste de ces explorations que des textes. Aucun cimetière n'a jamais été, à ma connaissance, équipé de télégraphes. Dans d'autres cas, il existe des constructions éphémères. Il n'y a plus de télévisions communautaires au Québec, les câbles servent, c'était d'ailleurs leur destination première, à la télédistribution. Il y a enfin des constructions définitives : si maintenant les téléphones sont partout, c'est parce que l'absence est un des déséquilibres profonds que les hommes veulent résorber par tous les moyens.

Dans les discours et actes des gens qui relèvent de l'entourage technicien, nous trouvons plusieurs traits communs. Les inventeurs, ainsi que ceux que nous avons appelé les explorateurs, appliquent le credo de l'universalité de l'appareil. On explore tous les possibles. Le critère de profit maximal ne fonctionne pas ici. Dans nos travaux, nous avons rencontré très peu d'industriels au nombre des explorateurs. On pourrait bien sûr en citer : Louis Bréguet, en France, suit de très près le développement du téléphone et du phonographe; Thomas Edison construit la première industrie de la communication; Akio Morita crée l'empire Sony à la fin de la Seconde Guerre mondiale. Le moteur ne nous semble pas être d'ordre économique. Il en ressortit plutôt ce que Thierry Gaudin [17] appelle

« les pouvoirs du rêve ». L'impression persiste à la lecture des textes construits à des époques très différentes qu'existe un merveilleux technologique, auquel on tente d'amener le plus grand nombre. Ce merveilleux se double d'une volonté messianique de révélation, sur laquelle on reviendra.

Les auteurs que nous avons consultés disent tous d'une façon ou d'une autre qu'à partir de l'apparition de telles machines, rien ne sera plus comme avant. L'appareil crée pour eux une rupture, un saut qualitatif dans l'évolution de l'humanité. Avec le phonographe, les morts resteront sur terre, par voix interposée. Nul inventeur ne dit que sa machine ne sera utile qu'un an, dix ans ou cent ans. Nous sommes dans l'univers du « désormais ». Toutes les prévisions se font sans hypothèses de point de rebroussement. Les nations seront informatisées, câblées, télématisées. Le cas du câblage est intéressant. Nul n'évoquait, lorsqu'on parlait, il y a un lustre, du câblage de la France, de l'échec québécois. Nul n'évoque l'échec des banques de données, en termes d'usage s'entend, lorsqu'on multiplie les vidéodisques interactifs.

Les inventeurs et leurs entourages, à propos de l'utilité de leurs machines, parlent en termes de postulat et non en termes d'hypothèse. Il n'y a pas à vérifier, le doute est hors de question. Nous nous trouvons dans le domaine de la certitude. Il est très difficile de faire de la recherche en communication, parce que précisément la sphère technicienne pense qu'il va de soi qu'un magnétophone, une caméra ou un ordinateur sont utiles. Transformer la certitude en question se heurte à une incompréhension, voire à une irritation, qui impute à celui qui la formule une attitude hérétique. Il y a de nombreux travaux sur la recherche en communication, ceux en particulier de Gavriel Salomon à Tel-Aviv [18] ou de Patricia Mark Greenfield [19] à Los Angeles, qui mettent en évidence les conditions que doit respecter un message audiovisuel pour qu'il atteigne le but qu'on lui propose. Il y a les mouvements familiaux, qui poursuivent depuis des années une réflexion critique sur la télévision, et des études, qui montrent que les gens sont prêts à apprendre par la télévision. Le monde des médias, dans son idéologie dominante, n'entend rien de tout cela, car il a un postulat : la télévision sert à la distraction. Il ne lui viendrait pas à l'esprit de l'assortir à d'autres hypothèses, car il s'agirait là de revenir sur un acte de foi.

Dernier trait enfin, l'homme est imparfait, comparé à la machine. Le phonographe répète fidèlement. Pour Edison, une bonne cantatrice est celle qui réussit le test crucial d'un enregistrement phonographique. L'ordinateur ne se trompe jamais : c'est l'homme qui défaille. C'est tout le mérite de Seymour Papert d'avoir valorisé cette défaillance, de faire en sorte que le sujet la caractérise et la surmonte. Mais tel n'est pas toujours le cas. Trop souvent, l'usager est prié de se glisser dans un moule de conformité qui ne lui convient pas.

La sphère technicienne n'est guère tolérante. Dans le champ de la communication, elle se révèle parfois très coercitive, car elle veut imposer ses schémas. Elle y arrive souvent en s'appuyant sur les institutions.

L'institution et l'usager moyen

Le souci principal de la sphère technicienne est de perpétuer l'usage qu'elle postule et de coupler à l'institution la régulation itérative des déséquilibres. Elle contribue par conséquent de façon très pressante à l'institutionnalisation des machines à communiquer. Le dialogue est en général facile avec les détenteurs des divers pouvoirs susceptibles d'être intéressés. Cela les concerne au premier chef d'en contrôler les messages ainsi que les usages. Les techniciens sont du même coup enchantés, car leur vœu de perpétuation se trouve ainsi exaucé.

La Compagnie de Jésus, au XVIIe siècle, cherchait, au travers des procédés de la rhétorique, de scènes telles que les processions, à frapper les imaginations par de véritables tableaux de l'histoire sainte. Rien d'étonnant à ce que la lanterne devienne son outil de prédilection.

Dans son livre *Se distraire à en mourir* [20], Neil Postman montre que l'institution religieuse a fait de la télévision aux États-Unis une lanterne magique très puissante. On ne sait pas toujours si c'est Dieu le personnage central, ou bien le prédicateur. Postman rapporte cette citation de Billy Graham : « Chacune de mes meilleures heures d'écoute est maintenant retransmise par près de trois cents chaînes à travers les USA et le Canada, si bien qu'avec un seul prêche télévisé je touche des millions de personnes, infiniment plus que le Christ n'a jamais pu le faire toute sa vie durant. »

Revenons à la lanterne. On la retrouve, deux siècles plus tard, engagée dans d'autres institutions qui, elles, ont comme vocation l'éducation. Ce sont, dans les années 1860, des sociétés philanthropiques, telles que la Société havraise des conférences par l'aspect ou, encore et surtout, la Ligue de l'enseignement, à l'instigation de Jean Macé et de Camille Flammarion, qui organisent en France un véritable réseau de diffusion des appareils et des plaques. Le clergé, qui a abandonné le procédé au XVIIIe siècle, n'y revient que tardivement. En 1895, Michel Coissac est chargé de fonder le service des projections lumineuses aux éditions de la Bonne-Presse. L'État crée en 1896 le Musée pédagogique et y installe un service qui créera et diffusera les plaques dans les écoles.

En France, toujours, le téléphone fut très vite contrôlé par l'État qui faisait de même pour le télégraphe depuis ses origines. On verra, dans la seconde partie, que la mainmise d'une institution qui ne se renouvelait pas l'empêcha pendant longtemps d'adopter une politique de marketing et de diversification des produits, c'est-à-dire de prendre en compte les usagers réels.

La radio fit, dans les années 30, l'objet d'une concurrence acharnée entre secteur public et secteur privé. Après la guerre, le monopole d'État se renforce. Le secteur privé s'installe à l'étranger, autour du territoire. C'est l'époque des radios périphériques. L'institution radiophonique s'inquiète de ses usagers et entreprend, à partir de 1954, des enquêtes sur leurs goûts et leurs pratiques d'audience. L'ORTF, qui intègre les services de radio et de télévision, prend la relève et poursuit cet effort. On lui doit une impulsion indéniable quant à la qualité du dispositif d'équipement. Mais on lui doit aussi de lourdes procédures de contrôle, qui s'inscrivent dans des opérations techniques telles que la mise en production et la programmation de la diffusion [21]. P. Schaeffer construit ainsi, en 1970, son triangle de la communication. En matière de radio et de télévision, dit-il en substance, la relation directe et totale entre émetteur et récepteur est une vue de l'esprit. L'institution est toujours en ligne et contrôle le message. A l'usage, ce contrôle devient un autocontrôle, une autocensure que les producteurs intériorisent, consciemment ou inconsciemment, par l'expérience acquise. L'institution médiatique multiplie les enquêtes de besoins. Y apparaissent, on y reviendra, des désirs d'auditeurs très marqués par la sortie de la guerre : on veut des chansons, des variétés, pas d'opéra, pas d'émissions scientifiques. L'institution en tire le message que le Français veut se distraire et fonde toute sa politique sur cette constatation. Elle construit du même coup ses usagers rêvés, tels qu'ils découlent des statistiques d'audience, l'auditeur et le téléspectateur moyen. Elle fonde sur leur comportement les modes de distribution de la redevance qui régit, on le sait, la politique de production du service public. L'institution perpétue ainsi les caractéristiques des Français d'après-guerre, en façonnant d'ailleurs les nouveaux venus à la consommation de messages futiles, sans se demander si leurs goûts n'ont pas changé. Et pourtant, des indications existent dans ce sens. Plusieurs études de l'INA avaient montré que pour certains profils socioculturels, ce n'était pas la distraction qui était prioritaire mais la formation. L'enquête « Aspirations » du Credoc de janvier 1986 montre que 51 % des ménages se déclarent aujourd'hui prêts à passer une soirée par semaine devant la télévision pour en apprendre quelque chose. Tout se passe comme si l'institution maintenait la régulation nécessaire dans l'après-guerre : se distraire après la tristesse de l'Occupation.

L'institution médiatique impose ainsi de façon massive un modèle médiatique qui situe l'émetteur actif au centre et les auditeurs à la périphérie, passifs. Les radios locales ou « libres », de même que les chaînes privées de télévision, ne sont pas sorties de ce schéma et de ce point de vue n'ont apporté aucune innovation, alors que d'autres schémas existent. Mais ils supposent d'autres modes de rapports entre les usagers, ceux-ci pouvant être émetteurs aussi bien que récepteurs. On a parlé plus haut des tentatives de communication sociale par la vidéo. Le projet « Multimédia », qui avait suscité un grand espoir au Québec chez les animateurs, suscite en 1974 leur désenchantement. Ils avaient beaucoup investi, car ils jouaient en fait la production locale contre la télévision qui symbolisait à leurs yeux l'État et la puissance financière. Mais l'institution provinciale ne pouvait tolérer longtemps, ni a fortiori financer, des projets de production explosifs tels que « L'utilité de la notion d'État », pas plus que les propriétaires de câble ne pouvaient admettre que l'outil qu'ils possédaient servît à disséminer une idéologie contraire à la leur. Ces usagers-là étaient dangereusement déviants.

A côté de l'État et de la religion, l'école est une autre grande institution qui a imaginé des usagers idéaux pour les technologies de l'information et de la communication. Certes, ses efforts ont connu du succès lorsque ses offres correspondaient à un besoin réel. Les adultes à la fin du XIXᵉ siècle prisent les cours du soir avec projections lumineuses. Certains établissements scolaires, ou des groupes d'élèves et de professeurs utilisent avec profit les ordinateurs qui y ont été mis en place. Certains adultes, certains élèves, certains maîtres doit-on souligner, mais pas tous. C'est précisément là que le bât blesse. L'institution veut généraliser. Son usager rêvé, qu'il soit téléspectateur, écolier ou catéchumène, est un usager moyen. Tous les usagers se conforment-ils, dans leurs besoins, dans leurs pratiques effectives, à ce moule technologique dans lequel l'institution veut les caser? C'est ce qu'il convient d'examiner.

LES COURS PAR TÉLÉPHONOSCOPE.

GRAVURE de ROBIDA

DEUXIÈME PARTIE

LES USAGES AU QUOTIDIEN

Les vitrines des magasins regorgent d'appareils prêts à nous fasciner, comme ils ont fasciné leurs inventeurs, dont ils véhiculent secrètement les projets ainsi que les manières de faire. Froid et impersonnel, le mode d'emploi, document que bien des usagers ne consultent jamais, n'en parle jamais, se limitant à décrire la procédure d'utilisation. Fort de quelques observations, l'esprit curieux se demande à bon droit si cette procédure sera respectée et si les conditions qui ont présidé à la genèse de la machine n'influent pas sur celui qui s'en sert.

Il fallait donc examiner ce que provoquait l'introduction d'un appareil dans un milieu déterminé, donc de faire du terrain – ce qui fut fait pour l'appareil-photo et l'ordinateur. Des études historiques étaient également nécessaires pour observer l'usage à long terme, d'où l'intérêt porté à la lanterne magique et au phonographe. Mais ces études de cas doivent être confortées par des observations plus larges, d'où l'idée de consulter les séries chronologiques d'équipement et de consommation, dans la mesure où elles existent. De telles séries ont été constituées à une époque récente en ce qui concerne la France pour la photo, le téléphone, la radio, la télévision, l'informatique et la télématique. Par ailleurs, des études sociologiques ont été faites sur l'usage de certains de ces appareils.

De cet examen, il ressort que ceux-ci se répartissent

en deux catégories selon leur rôle dominant. Il y a ceux qui jouent un rôle essentiel dans la vie familiale, parce qu'ils sont intégrés dans ses rituels : ce sont la photographie, la radio et la télévision. Ils participent à son univers magique et n'y connaissent pas ou peu de nouveaux usages fonctionnels. Il en va très différemment pour le téléphone, l'informatique et la télématique, qui ont trouvé ou trouvent actuellement un rôle instrumental.

V

Variations autour de quatre appareils

Il n'est pas commode de se départir, quand on
regarde les gens se servir d'un appareil, d'un aprio-
risme technologique qui conduit à les juger selon qu'ils
se servent correctement ou non de la machine. Son
mode d'emploi fait en effet partie d'un stock de normes
et de règles assez communément partagées, sauf par
les déviants bien entendu. Il est donc très dur et peu
commun de continuer à regarder ce qui se passe
lorsque l'appareil a été détourné ou abandonné. En
effet, ce n'est pas pour autant que l'usager a cessé
d'exister. Il s'agit de choisir sur quoi ou sur qui l'on
focalise l'attention : la machine ou l'usager. Cela m'apparut à l'évidence à Québec, en 1974, lorsque j'essayais de comprendre pourquoi et comment des groupes
se servaient de la vidéo. Un groupe de féministes, le
FLEP (Femmes libérées en puissance), voulait, à Mont-
réal-Rive Sud, réaliser un document sur l'exploitation
domestique de la femme par le mari. Bien que sachant
« techniquement » se servir de la caméra, elles n'y
arrivaient pas, car l'élaboration du document par ce
moyen demandait une stylistique compliquée qu'elles
ne maîtrisaient pas. Au cours d'une séance de bilan,
elles décident donc d'abandonner la vidéo, mais pas
le projet. L'une d'elles propose que l'on construise une
pièce de théâtre. Les idées fusent aussitôt. Une par-
ticipante suggère que l'on habille la femme sur scène
avec une armoire en plastique, de celles qui se ferment

avec une fermeture Éclair. Un trou pour la tête, deux pour les jambes. L'homme ouvrira l'armoire pour se servir; telle est l'image proposée. La femme-armoire eut un grand succès.

Celui qui aurait eu le regard braqué sur la vidéo n'aurait jamais vu cette conséquence inattendue de l'outil, cet effet induit, car il aurait plié bagage trop tôt. L'observation des usagers requiert que l'on respecte leurs temps, leurs rythmes et leurs durées. L'assimilation d'une technique ou les substitutions qui s'ensuivent ne sont pas instantanées. Elles s'étirent dans le temps, elles procèdent par paliers successifs. Elles sont souvent aussi informulées. Celui qui pratique ne sait pas raconter. Les raisons qui la lui font adopter ou rejeter sont rarement de l'ordre technique immédiat – il sait filmer – mais relèvent d'un contexte plus général, ce dont il n'est que rarement conscient. Tout cela conduit à adopter une méthode de terrain, à la manière dont procèdent les ethnologues, c'est-à-dire en l'observant dans sa globalité et dans sa continuité, celui qui observe y étant visible et actif. Il est important également d'avoir une pratique suffisante de la technique dont on étudie l'usage, sous peine de passer à côté de faits intéressants relatifs au maniement, à l'articulation entre projet et usage, à l'empreinte qu'exerce en retour l'appareil sur celui qui s'en sert. Sous peine aussi de rater l'occasion d'avoir des dialogues instructifs avec les usagers, s'ils constatent que l'observateur est en fin de compte plus profane qu'eux.

La lanterne magique ou les temps longs de l'usage

Annonay 1979. Au cours du deuxième Congrès sur la culture technique, j'organise avec quelques amis [1] une séance de projections lumineuses à l'ancienne. Jackie Just a restauré patiemment une lanterne à trois mèches, marchant au pétrole, de celles que distribuait la Ligue de l'enseignement un siècle auparavant. Il nous a fallu trouver une salle sans détecteurs de fumée, sinon le spectacle se serait déroulé sous des déluges d'eau... Le public s'installe. Environ deux cent cinquante personnes. Arrivent dans la salle deux pompiers de service, dotés d'un matériel impressionnant. On sent dans les rangs se dessiner un mouvement d'inquiétude. Il faut parcourir les allées et rassurer.

Le spectacle commence. On projette des plaques animées prêtées par le musée de Bièvres. Les gens s'étonnent de la beauté des couleurs, de la lumière dorée que donne le pétrole, du mouvement léger qu'elle provoque, du fait que les brûleurs crachotent. Un orage éclate, violent, au-dehors. Le public n'en revient pas : la lumière n'a pas sauté. Ce n'est pas l'électricité. Et puis il y a l'odeur, faite de pétrole brûlé, de mèches calcinées et de métal surchauffé. On prend alors conscience du fait que les spectacles de jadis avaient une odeur. Au bout de vingt minutes, les trois mèches surchauffent le réservoir de pétrole. Une sourde inquiétude monte de la salle; on ne regarde plus l'image projetée mais la lanterne. Va-t-elle exploser? Il faut éteindre et attendre un moment. Là aussi nous apprenons que le matériel vit sa vie, et qu'il faut bonimenter pendant qu'il refroidit.

La reconstitution ne peut pas aller plus loin, sous peine de travestir la réalité des usages d'autrefois. Mais, au moins, nous savons que les spectacles « sentaient », que la peur rôdait, ne fût-ce que celle du matériel, et pimentait la soirée. Nous savons aussi que l'électricité a détruit bien des charmes que conféraient les autres sources lumineuses.

Depuis trois cents ans, il y a eu ainsi un peu partout en Europe des séances de projection. Cela a commencé en Italie, en France, en Allemagne, au Danemark, aux alentours de 1650. Auparavant, les gens regardaient dans ce qu'on appelait des boîtes optiques. Un miroir basculant permettait de substituer aux yeux de celui qui regardait une image à une autre. C'est encore la catoptrique. Désormais, on entre dans la magie du parastase : comment faire apparaître les objets à côté

117

d'eux-mêmes. Au XVIIᵉ siècle, l'usage principal en est la catéchèse. Las! on ne dispose pas pour l'instant de témoignages de fidèles ou de mécréants qui auraient vu apparaître les saints ou le Diable sur les murs de quelque obscure chapelle. Au XVIIIᵉ siècle, les applications se diversifient. Les plaques deviennent libertines à la Cour du roi Louis XV aussi bien qu'à Venise. Voltaire, en 1738, fait lui-même des projections : « Après souper, il nous a montré la lanterne magique avec des propos à mourir de rire... non, il n'y avait rien de si drôle. Mais, à force de tripoter le goupillon de la lanterne qui était rempli d'esprit-de-vin, il le renverse sur sa main, le feu y prend, et le voilà enflammé. Ah! dame, il fallait voir comme elle était belle, mais ce qui n'était pas beau c'était qu'elle était brûlée. Cela troubla un peu le divertissement qu'il recontinua un moment après [2]. »

A côté de la distraction, le sérieux. Certaines plaques ont un contenu scientifique, celles de l'abbé Nollet en particulier, précepteur de Louis XV. Les lanternes enfin parcourent les campagnes, accrochées comme un havresac au dos des colporteurs savoyards, voyageant par deux, le compère portant la cage de la marmotte. Ils disposent de boniments tout prêts, que diront encore, au siècle suivant, les montreurs de lanterne qui montaient dans les appartements pour distraire la famille bourgeoise.

Dans une fable célèbre, *Le Juge et la lanterne magique,* Florian [3] raconte comment cela se passait :

> *A ces mots chaque spectateur*
> *Va se placer, et l'on apporte*
> *La lanterne magique; on ferme les volets*
> *Et par un discours fait exprès.*
> *Jacqueau prépare l'auditoire*
> *Ce morceau vraiment oratoire*
> *Fit bâiller, mais on applaudit.*

On n'a guère conservé de tels boniments. J'ai eu la chance d'en retrouver un dont la lecture montre qu'existent de lointains antécédents à l'Almanach Vermot : « Jupiter y est un des six maîtres [décimètres, eh oui] de l'Olympe, appelé à régner du matin au soir... La belle Cybèle, si belle qu'on l'appelait ainsi... A ses côtés la blonde Cérès, déesse de l'Agriculture... Voyez que d'épis se rient autour d'elles...

« Les filles de Pyrrhus changées en pies pour avoir osé défier les Muses dans un concert vocal! C'est depuis cette époque qu'on n'entend plus faire d'Ut aux pies!... »

A la fin du XVIIIᵉ siècle se forgent de grands projets d'avenir pour la lanterne magique. Les auteurs en sont deux hommes qui se connaissent bien, le comte de Paroy et Étienne-Gaspard Roberson. L'un est précepteur du dauphin, l'autre savant et aventurier. Paroy a très bien repéré – déjà – l'intérêt que portent les enfants à la lanterne magique. Au cours d'un dîner chez Mᵐᵉ de Tourzel, en 1777, la reine Marie-Antoinette se plaint du peu d'entrain que met le futur Louis XVII à apprendre. Paroy lui propose d'employer la lanterne magique. « Songez-vous, Monsieur, que je vous parle sérieusement? répondit la reine avec dignité, et vous me proposez la lanterne magique? »

Ce jugement royal donne à la lanterne son authenticité de spectacle populaire, Paroy qui ne se démonte pas, répond : « Oui, Madame, elle n'a été jusqu'ici que dans les mains des Savoyards ignorants qui courent les rues avec leurs marmottes. » Et d'argumenter : « Ce qui frappe vivement les idées d'un enfant s'inculque dans sa mémoire au point qu'il ne l'oublie jamais. »

« – Plusieurs enfants ont l'esprit recueilli... par l'obscurité nécessaire :

« – la curiosité électrise leur imagination;

« – c'est un spectacle pour eux, d'autant plus intéressant qu'ils veulent expliquer à leurs petits voisins ce qu'ils sentent [4]. »

La reine fut convaincue, mais le projet pédagogique, on s'en doute, n'eut pas de suite. Dans l'immédiat toutefois, car on retrouvera la lanterne dans les écoles cent ans plus tard.

Robertson organisa à Paris, puis à Moscou, à Madrid des spectacles qui firent fureur : les « Fantasmagories ». Le public se bousculait pour avoir peur : « Vingt autres fantômes se succèdent, et illuminent tour à tour la ténébreuse demeure. Tantôt la terre semble les produire; tantôt ils semblent percer la voûte et descendre du plafond; d'autres fois c'est la muraille même qui paraît s'ouvrir pour les laisser passer. Les spectres ne sont pas toujours revêtus du costume accoutumé des esprits. Ils se montrent aussi sous l'habillement qu'ils portaient pendant leur vie. Quelquefois même, celui qui évoque l'ombre, la fera apparaître d'abord sous l'enveloppe blanchâtre des esprits. »

On croit à la réalité des spectres, on s'émeut, on pleure, on s'évanouit à la vue du cher disparu dont on a demandé la réapparition. Parfois, le meneur de jeu se trouve dans une situation embarrassante. Peu de temps après l'exécution de Louis XVI, un spectateur demande à faire réapparaître le roi. Cruel dilemme, il faut choisir dans l'instant entre la renommée du spectacle et son autorisation par la police, car les inspecteurs sont dans la salle, se méfiant de son côté sulfureux. Ce soir-là, le roi n'apparut pas [5]...

Les lanternes jouets, rutilantes, décorées de gaufrages multicolores, apparaissent dans les foyers vers 1850. Elles marquèrent considérablement les enfants pendant près d'un siècle. Le cinéma la supplanta quelque peu et fut lui-même balayé par la télévision. A Gournay, le petit Marcel Proust attendait ces séances avec impatience : « Quelquefois le soir avant dîner, on jouait dans la chambre de Jean à la lanterne magique. On repoussait contre la porte le bureau encombré de livres, on tirait par la porte communicante deux chaises de la chambre de Mᵐᵉ Santeuil, on fermait bien les rideaux et, ayant ôté de la vieille lampe de travail son abat-jour de carton vert, on appliquait à son verre un réflecteur : et déjà, la lumière, tout à l'heure paisiblement étalée sur la table, dans la chambre soudain obscurcie éclairait mystérieusement une place du mur [6]. »

L'auteur de *Du côté de chez Swann* fut très impressionné par le récit des malheurs de Geneviève de Brabant, comme bien des enfants de son époque : « Et dès qu'on sonnait le dîner, j'avais hâte de courir à la salle à manger où la grosse lampe de la suspension ignorante de Golo et de Barbe-Bleue, et qui connaissait mes parents et le bœuf à la casserole, donnait la lumière de tous les soirs, et de tomber dans les bras de maman que les malheurs de Geneviève de Brabant me rendaient plus chère, tandis que les crimes de Golo me faisaient examiner ma propre conscience avec plus de scrupules. »

Vers 1865, la lanterne devient pédagogue. Elle revêt, à l'instar des maîtres, une blouse noire et prend un aspect austère. Mais elle correspond à l'immense besoin d'éducation populaire qui se manifestera jusqu'à la fin du siècle. Deux cas parallèles illustrent le propos. L'abbé Moigno inaugure à Paris dans la salle du Progrès, en 1872, des conférences illustrées de projections. C'est en quelque sorte la version audiovisuelle de la revue de vulgarisation scientifique, *Les Mondes,* qu'il dirige par ailleurs. Ces conférences, fréquentées par un public d'érudits, recueillent un succès d'estime, mais s'arrêtent, faute de public et d'entrain dès mars 1873. C'est tout le contraire qui se passe dans la ville du Puy, où Émile Reynaud, le père du « théâtre optique », qui a suivi les conférences de Moigno, enseigne à un public populaire, agité par la crise de reconversion que traverse alors la région. Ses séances, qui ont lieu dans la salle du Dôme à l'hôtel de ville, sont agrémentées elles aussi de projections et elles connaissent un succès considérable, puisque les cinq cents places se révèlent insuffisantes.

L'intérêt populaire pour les projections lumineuses à caractère instructif ne cessera de croître jusqu'à la fin du siècle. Enseignement laïque et enseignement religieux ont dans chaque département des dépôts de lanternes. En 1896, la Ligue de l'enseignement a placé en France 477 lanternes, en a prêté 380 fois, a offert 6 000 vues à ses adhérents et fait circuler près de

48 000 autres. Des boîtes en chêne permettent leur transport par la poste. Elles contiennent des plaques de verre soigneusement enveloppées ainsi qu'un document d'accompagnement. L'instituteur réunit le soir les adultes au village et projette les vues tout en les commentant. Édouard Petit écrit en 1895 : « La conférence pour le paysan devient le *journal parlé* [c'est nous qui soulignons]. Elle remplace la veillée d'autrefois... C'est réjouissance publique quand on sait que le soir, sur la blancheur du drap, les vues enfin arrivées de Paris défileront[7]. »

Dès 1896, le Musée pédagogique, qui vient tout juste d'être fondé, possède 1 600 collections et fait circuler 8 000 boîtes. L'année suivante, 18 000 boîtes sont demandées, plus du double, et, en 1898, près du triple : 20 600 boîtes. Dans le même temps, le nombre des collections a progressé : 2 700 en 1897, 3450 en 1898. Le graphique de la page suivante montre que la plus forte progression a lieu pendant ces trois premières années.

Aujourd'hui, le projecteur de diapositives sert, à l'école, à montrer des vues éducatives et de ce point de vue s'inscrit toujours dans la niche d'usage négociée il y a bientôt deux cents ans par la reine Marie-Antoinette et le comte de Paroy. Chez les particuliers, il a fait la jonction avec la photographie. Grâce à lui la famille, ainsi que les invités pris au piège, contemplent les souvenirs de vacances. En 1981, 17,3 % des ménages français possédaient un projecteur de diapositives et 15,5 % l'avaient utilisé au moins une fois dans l'année[8].

L'écoute du phonographe : de l'enthousiasme à l'incrédulité

A lire la presse de l'époque, le phonographe fut une invention qui eut un retentissement considérable. On l'attendait en fait depuis longtemps. Mais elle n'était pas aussi évidente qu'elle le paraît aujourd'hui, car

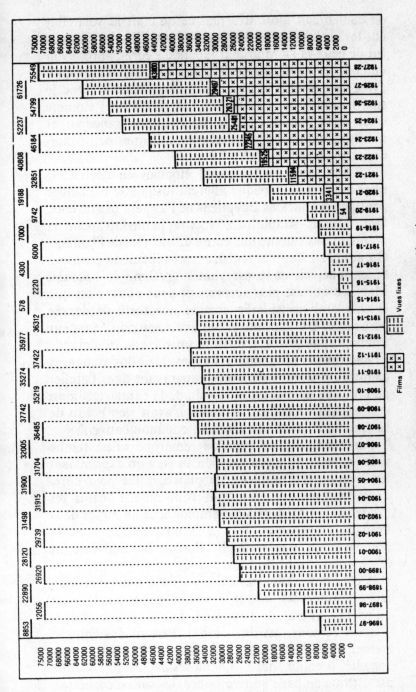

Statistique de diffusion des plaques par le Musée pédagogique.
Fac-similé d'un document statistique de 1928

on connaissait alors très mal ce qu'était la voix. Il y eut les enthousiastes. Le compositeur Charles Gounod fut de ceux-là : « Monsieur Gounod s'écria, après avoir entendu le phonographe répéter son *Ave Maria* qu'il avait chanté en s'accompagnant lui-même : " Que je suis heureux de n'avoir pas fait de fautes! Comme c'est fidèle! mais c'est la fidélité sans rancune; et qu'est-ce qui accomplit tout ceci, quelques petits morceaux de bois, de fer [9]... " »

La simplicité de l'appareil étonnait en effet. Certains auteurs de l'époque allèrent jusqu'à se demander pourquoi les anciens Égyptiens ne l'avaient pas inventé, tant il était simple! La voix apparaissait pour la première fois comme une entité dissociable de l'homme. On admirait que l'enregistrement répétât la phrase à l'identique, en en conservant le rythme et l'accent. Mais, ce qui est plus surprenant pour nous, c'est que la voix était considérée comme une sorte de denrée périssable. Un journaliste qui avait entendu Monsieur Phonographe à l'Exposition universelle témoigne : « Nous avons entendu, à l'exposition, des romances chantées plusieurs semaines auparavant dans l'atelier de l'illustre inventeur, et la voix de la cantatrice, ainsi emmagasinée pendant un mois, n'avait rien perdu de sa fraîcheur et de son émotion communicative [10]. »

Par deux fois, ce type de remarque m'est tombé sous les yeux. Elle répond bien au vœu qu'exprimaient les inventeurs d'employer le phonographe pour enregistrer la voix de ceux qui vont mourir. Mais les usages ne retinrent pas cet emploi, tout au moins dans l'espace domestique. Il y a là un parallèle avec la photographie, pour laquelle l'usage familial interdit la photo sur le lit de mort.

A côté des enthousiastes, il y a ceux que l'invention laisse indifférents, à tout le moins agacés par le bruit qu'on fait autour de l'appareil. Louis Figuier, vulgarisateur fameux, est du nombre. Parlant des enregistrements qu'il entendit, lui aussi, à l'Exposition universelle, il commente : « Qu'on les écoute par le tube acoustique ou par l'appareil libre, les sons d'orchestre, les chœurs ou les paroles conservent ce timbre de voix de polichinelle et ce bruit de friture qui ôtent toute illusion et tout charme. Les auditeurs se regardent entre eux, n'osant exprimer leur désappointement, mais trouvent que le résultat n'a pas répondu à leur attente [11]. »

Puis il y eut les sceptiques complets. L'un et non des moindres était membre de l'Académie des sciences. On savait par Camille Flammarion, membre de la même assemblée, qu'au cours de la présentation de l'appareil d'Edison, un membre de l'auditoire avait crié à la supercherie. Je m'étais amusé il y a quelques années à identifier ce personnage. J'avais supposé qu'il avait une communication sur cette question, hypothèse qui fut confirmée. Les comptes rendus de l'Académie des sciences contiennent ainsi une réfutation du phonographe, exposée lors de la séance du 30 septembre 1878. Son auteur, É. Bouillaud, ne s'en laisse conter : « Dans deux cas où j'ai été témoin de la répétition des paroles prononcées dans l'ouverture du phonographe, je m'aperçus de faibles mouvements de lèvres des personnes par lesquelles ces paroles avaient été prononcées. »

L'hypothèse de Bouillaud est que ces sons passent uniquement par les fosses nasales, ce qui rend bien compte d'ailleurs du son « nasillard » de l'appareil.

Charles Cros fut un grand perdant devant l'histoire des techniques car il n'avait pas réalisé son « paléophone ». Cette vérité est généralement admise, sauf dans le massif des Corbières, autour de Fabrezan et Lagrasse, son village natal. Les vieux que j'y ai rencontrés voici une dizaine d'années racontent de tradition que le poète avait construit un appareil qui, une fois remonté, disait : « Tu dors, Brutus, et Rome est dans les fers. Merde! » L'un d'eux m'a même confié qu'il avait dans son grenier un appareil construit par Cros, mais malgré mon insistance, il refusa de me le montrer. N'est-ce pas là le plus beau paléophone dont Charles Cros eût pu rêver : la conservation sans cire, dans les esprits, par la légende?

En vente dès 1878, le phonographe d'Edison permettait l'enregistrement. Dix ans plus tard, on retira cette fonction des appareils, car personne ne la réclamait. Les usagers n'avaient pas suivi les propositions des techniciens : ils n'apprenaient pas les langues, ils ne s'entraînaient pas à l'art oratoire, ils n'enregistraient pas leurs vieux parents. Non, ils écoutaient tout simplement des chansons.

Les enfants photographes : la palette des pratiques

Examiner les usages ne se limite pas à l'analyse de témoignages historiques. Cela relève aussi de l'observation de pratiques contemporaines, voire d'expériences. En voici une que je fis il y a quelques années sur l'usage de l'appareil-photo par des enfants.

Hastingues est un petit village situé au sud du pays d'Orthe, à l'ouest du Béarn et au nord du Pays basque. C'est mon village, celui où ma grand-mère était en nourrice. Les habitants se battaient, le maire en tête, pour en conserver l'école constituée à l'époque de l'expérience, en 1975, d'une classe unique, c'est-à-dire d'enfants de six à douze ans. Certains parents, toutefois, trouvaient plus de prestige aux groupes scolaires des villes avoisinantes. Avec Guy Puyo, l'instituteur, nous pensions qu'il fallait rendre mieux visible le rôle de l'école dans le milieu. Nous décidâmes à cet effet de recourir à la photographie, d'une façon qui différait profondément des expériences antérieures. On mit en libre service dans la classe les appareils les plus simples qui soient, un Polaroïd et un Kodak Instamatic 125. Chaque enfant pouvait les emporter quand il le souhaitait et prendre les photos qu'il voulait. Là se trouvait la différence. Habituellement, le maître organisait une enquête et la classe sortait pour photographier ce qui avait été décidé auparavant. Ici, rien de cela : l'enfant était son maître, par hypothèse. Quand la pellicule était terminée, on la faisait développer et on projetait les diapositives. Celui qui

126

désirait parler d'un sujet qu'il avait pris pouvait le faire. Les enfants d'Hastingues ne s'en privèrent pas [12].

Il y eut une grande diversité de projets, de comportements et de réactions à l'égard de l'appareil. Certains enfants ne savaient manifestement pas quoi faire de l'appareil. Valérie a photographié des vaches, afin, espère-t-elle, de faire plaisir à ses camarades. Dans un pays de grand élevage, elle ne fait pas sensation, mais reçoit au contraire des critiques vives sur le manque d'intérêt de son sujet. Nadège – huit ans – photographie avec un Polaroïd ses amies préférées dans la cour de récréation. Soudain, elle se rend compte que cela tourne en rond, car chacune le fait à tour de rôle. Elle dit et suggère autre chose : dans un autre coin, les petits s'entraînent à danser le pas qu'ils présenteront à la fête. Elle propose qu'on les prenne, pour qu'ils puissent se corriger en regardant les clichés. Ce qu'elle fait.

Corinne, six ans, voulait absolument photographier le village, au loin, où travaille son père. Hélas, l'objectif est un grand angle. On ne peut donc pointer cet endroit. Qu'importe. Corinne photographie son index pointant le village en question, geste qui ne viendrait jamais à l'idée d'un adulte. Ce fut Frank, dix ans, qui obtint le plus gros succès d'estime auprès de ses camarades, puis de l'instituteur, mais pas tout de suite, pour des raisons que l'on va comprendre. Il montre trois photos qu'il a prises des trois coins de sa maison.

« J'ai voulu prendre cette photo parce qu'on ne pouvait pas emmener ce paysage dans l'école », déclare-t-il avec une véhémence qui laisse entrevoir une arrière-pensée. Au fil du dialogue, elle apparaît de plus en plus clairement. Frank fait remarquer que sur les trois photos on voit les montagnes, les Pyrénées. Son insistance est claire pour tout le monde. L'instituteur est un homme de la rivière, les montagnes ne l'intéressent pas, mais elles intéressent Frank. La photo l'a aidé dans sa revendication.

Du coup, photographier quelque chose qu'on ne peut apporter à l'école devient un argument de recherche complètement stéréotypé; l'on apporte des photos de ponts, de châteaux, de châteaux d'eau pour cette seule et unique raison que ce n'est pas transportable.

Mais Pascale fait de ce stéréotype un subterfuge. Une leçon est organisée sur la chasse. Le maître demande aux enfants de trouver des documents. Pascale s'engage un peu hâtivement à apporter une tête de chevreuil empaillée qui se trouve chez elle. Mais le papa refuse. Pascale ne dit rien, va chercher l'appareil et photographie le trophée, qui vient ainsi malgré tout à l'école.

Certains enfants utilisent l'appareil pour rendre compte de situations où une règle est transgressée : on ne laisse pas un moteur dans un bateau, on n'approche pas les chevaux par-derrière, on ne touche pas un fil électrique tombé à terré. Les enfants d'Hastingues n'ont pas photographié d'adultes. L'expérience a été répliquée ultérieurement aux Philippines, dans un petit village de pêcheurs, Hagonoi, proche de Manille. Là, c'est très différent. De nombreux clichés y montrent les villageois au travail ainsi que les institutrices. Le statut d'enfant est vraisemblablement plus clair pour eux là-bas qu'ici, puisqu'ils n'ont pas craint de photographier les adultes.

L'ensemble des sujets photographiques, ce que Pierre Bourdieu appelait l'aire du photographiable, est ainsi déterminé par de multiples causes qui relèvent de facteurs qui n'ont rien à voir avec la technique de prise de vue : normes, règles, projets, identité. Un même appareil peut avoir les usages les plus divers selon les mains dans lesquelles il se trouve : instrument d'un projet, subterfuge, stéréotype.

Certains enfants, comme les adultes, discernent la fonction instrumentale et la mettent au service d'une intention. S'il y a résistance, on improvise, en mettant par exemple le doigt dans le champ de visée. Ou l'on détourne carrément l'appareil de son usage primitif. Au CES de Marly-le-Roi, il y a une dizaine d'années, deux petites filles manipulaient une maquette d'appareil-photo, faite de deux boîtes qui glissaient l'une dans l'autre, une plaque translucide d'un côté, une lentille de l'autre. Elles semblaient photographier une lampe électrique à des distances variées. C'est du moins ce que croyait le professeur qui s'approcha d'elles. Elles avaient noté au crayon sur l'une des boîtes les différentes distances de mise au point, et utilisaient l'appareil à l'envers. Constatant que le point était fait, elles consultaient la gradation pour connaître la distance correspondante. De l'appareil-photo, elles avaient fait un télémètre.

Un soir, le père d'un enfant du village d'Hastingues vient me trouver. Maître compagnon, il construit d'admirables escaliers. Voir son fils prendre des photos lui a donné l'idée de faire un catalogue de ses réalisations. De ce jour, la photographie, qui était considérée comme une activité futile, trouva sa légitimité. L'école n'a pas été fermée. Elle a deux classes aujourd'hui. La photo y est toujours pratiquée. Mais les enfants, une fois qu'ils l'ont quittée, se cantonnent, quand ils la pratiquent, dans les portraits de famille et les souvenirs de vacances, car c'est là que s'est créée sa niche d'usage.

Les programmeurs symboliques

Une école de la rue Mademoiselle, dans le 15e arrondissement à Paris. L'institutrice éprouve des difficultés à faire comprendre la notion d'angle à ses élèves de CM1. Elle a décidé de recourir à l'ordinateur de l'école. Elle a préparé une leçon qui utilise le langage Logo. Les instructions en sont simples. Tapées sur le clavier, elles font avancer ou tourner un petit triangle mobile sur l'écran de l'ordinateur. Quand il avance, il laisse une trace. On dispose ainsi d'un outil commode pour fabriquer tous les angles possibles. Les enfants ont bien participé à la leçon.

Je leur demande, tout de suite après, ce qu'ils ont appris. Les réponses ne manquent pas : « C'est rigolo », dit un premier. « C'est plutôt intéressant », rectifie une petite fille. Et les enfants disent ce qu'ils ont appris : que cet ordinateur est différent de ceux qu'ils connaissaient, qu'on peut raccorder deux écrans à un même appareil, qu'on peut glisser des disquettes sous le clavier, qu'autrefois les ordinateurs étaient grands comme des immeubles entiers, qu'on peut lui donner des instructions abrégées, qu'on peut faire bouger des choses sur l'écran, que les écrans peuvent être de diverses couleurs. D'angles, point. Je dois lancer la question pour qu'enfin on parle des angles. Les enfants ont enregistré des connaissances sur l'appareil lui-même, plus que sur ce qu'il leur montrait. Bien sûr, c'était la première fois que certains d'entre eux approchaient cette machine, mais leurs réactions montrent à l'évidence qu'elle a une épaisseur, alors qu'on la suppose transparente.

Pour les enfants, même s'ils n'en ont jamais vu auparavant (c'était le cas, il y a une dizaine d'années), l'ordinateur est un objet non pas étrange mais familier, avec un fonctionnement magique. « C'est une machine où on peut écrire. On dit un mot, on écrit sur la machine (comme une machine à calculer), on éteint la lumière. Quand on rallume, le mot revient sur l'écran. On appuie sur des boutons et ça écrit à côté sur l'ordinateur [13]. »

Le bouton-poussoir intervient constamment dans les descriptions enfantines. On appuie une fois et le processus se déclenche; deux fois et il s'arrête. Dans leur environnement, nombreux sont les appareils qui en sont dotés : le récepteur de radio, le poste de télévision, entre autres. Un autre élément de l'appareil leur est familier : l'écran cathodique, qu'ils connaissent bien grâce au téléviseur. Cet appareil n'a donc aucune raison d'être étrange, puisqu'il est, à leurs yeux, la combinaison de deux dispositifs familiers. Rien d'étonnant non plus à ce qu'il fasse apparaître des choses plus compliquées, puisque la télévision le fait aussi. Cependant, ils voient une grande différence par rapport au téléviseur : ils peuvent agir sur l'écran, y faire des dessins ou taper des lettres.

Quand Jean-François Boudinot et moi-même leur demandons comment l'ordinateur fonctionne, certaines réponses réintroduisent la notion de vivant : « Il y a un monsieur aveugle qui habite dedans – un petit homme. L'ordinateur est tout plat, il y a des piles dedans. »

Même quand ils se servent de la machine, il leur arrive de lui prêter bien plus de compétences qu'elle n'en a. Ainsi, cette petite fille de six ans, qui tentait de faire un programme en Logo pour dessiner un bateau. Elle tape l'instruction : POUR FAIRE UN BATEAU. La machine ne possède pas les éléments qui lui permettraient de dessiner ce bateau : faire avancer un mobile sur un écran de tant de pas, le faire tourner de tant de degrés, pour dessiner la coque, le mât, les voiles. La machine affiche le message classique : TU NE M'AS PAS DIT COMMENT FAIRE BATEAU.

Alors la petite fille se met à écrire : POUR FAIRE COQUE.

La machine répond : TU NE M'AS PAS DIT COMMENT FAIRE COQUE.

La petite fille écrit : POUR FAIRE MÂT. Et ainsi de suite.

Nous comprenons alors le quiproquo. L'enfant s'imagine que la machine connaît tous les éléments d'un bateau, alors que le message que celle-ci émet ne fait que reprendre de façon tout à fait banale le mot que la petite fille vient de proposer, n'ayant aucune autre précision à ce sujet. L'appareil joue ici pour l'enfant le rôle d'un sphinx. Il oblige celui qui le consulte à se découvrir par lui-même.

Quand on installe un ordinateur dans une classe, ou dans un lieu public, à Beaubourg, par exemple, les rôles se dessinent. Il y a ceux qui se servent du matériel avec application, conformément au processus proposé qu'ils exécutent jusqu'au bout. Il y a ceux qui veulent à tout prix taper sur le clavier, mais qui ne vont pas au bout de la tâche. Il y a le démonstrateur, celui qui explique à tout le monde comment ça marche. Souvent, le démonstrateur donne des ordres que doit exécuter un assistant au clavier. J.-F. Barvier-Bouvet, qui a observé lui, non pas des enfants, mais les visiteurs de l'espace télématique du centre Georges-Pompidou, décrit les différentes catégories des spectateurs [14]. Il distingue un premier comportement qu'il qualifie de « statue du commandeur » : tel un pilier immobile, l'usager contemple la situation et apprend en regardant les autres apprendre. Un second type : le « satellite », allant et venant en une sorte de ballet, hésitant de fait à s'avouer spectateur. Il y a une troisième catégorie d'usagers, qu'il qualifie de « chœur antique », composé, remarque-t-il, de ceux qui commentent en voix off ce qui s'inscrit sur l'écran. Passifs, contrairement aux démonstrateurs, ils se cantonnent dans le registre de la paraphrase.

Les pratiques informatiques relèvent parfois – l'observation le prouve – du théâtre. Nous travaillions il y a quelques années avec un professeur de section d'éducation spécialisée sur l'introduction de l'ordinateur dans ce type d'enseignement. Les enfants qui se retrouvent là sont les victimes de la société et, souvent, en premier lieu, d'un système éducatif qui n'a pas su les prendre en charge. Leurs enseignants sont admirables de dévouement et de compétence pédagogique. Un jour, nous décidons de faire un exercice encore une fois avec le langage Logo : il s'agit de piloter une tortue au moyen des ordres AVANCE et TOURNE. L'exercice peut se faire sans ordinateur. Il suffit que quelqu'un se conforme au fonctionnement de cette « tortue » et réagisse aux instructions qui lui sont données. Une charmante fillette – nous sommes en cinquième – accepte de jouer ce rôle. Un parcours est décidé. On devra la « programmer » pour qu'elle aille jusqu'au fond de la salle, y contourne une table et revienne. Chaque élève propose à son tour une instruction. Sauf un. Manifestant un désintérêt total pour l'opération en cours, il laisse passer régulièrement son tour. Soudain, au troisième passage, alors que la fillette est au fond de la salle, il entrouvre un œil et, à la stupéfaction générale, formule à haute voix deux instructions : TOURNE À GAUCHE DE TRENTE DEGRÉS. RECULE DE DIX PAS. La fillette obéit scrupuleusement, pivote de l'angle souhaité et recule. Ce faisant, elle heurte le bureau de l'auteur de l'instruction, perd l'équilibre et lui tombe dans les bras. Le changement est brutal pour l'observateur, cantonné dans le registre de la pédagogie. Il lui rappelle que l'usager met la machine au service des projets les plus divers, y compris le rapt téléguidé.

Il s'agit ici d'un cas limite d'une catégorie plus générale d'usages du micro-ordinateur, dont la finalité est d'ordre affectif. Les études qui ont été conduites sur l'usage du micro-ordinateur dans la famille montrent que l'appareil sert en fait à rétablir, sinon à établir, le dialogue entre le père et le fils, la mère et les filles gardant encore, semble-t-il, une certaine distance par rapport à ce type de loisirs. L'enquête de l'INC de 1985 nous enseigne ainsi que dans 90 % des cas, ce sont les hommes qui achètent l'appareil et qu'ils sont 71 % à l'utiliser [15]. Sherry Turkle, ethnologue et psychanalyste au Massachusetts Institute of Technology, qui est une pionnière dans l'étude du rapport affectif à la machine, a mis en évidence ce qui distingue garçons et filles dans la programmation [16]. Elle a observé les uns et les autres et constate que les filles ont des objectifs de programmation et des rapports à la tâche très différents de ceux des garçons. Anne, par exemple, aime programmer le vol d'oiseaux qui apparaissent à l'écran, en disparaissent et changent de couleur. Au travers des dialogues, il apparaît que lorsqu'elle programme, Anne se sent elle-même au milieu des oiseaux. Elle n'est pas extérieure à l'objet qu'elle est en train de construire, elle « fusionne » avec lui. Les filles évoquent le fait qu'on peut négocier avec l'ordinateur, qu'on peut lui répondre, qu'on peut lui attribuer une psychologie. Sherry Turkle conçoit que la pratique de la machine puisse faire resurgir le souvenir inconscient d'objets qui, chez l'enfant, sont situés dans la zone floue qui sépare le soi du non-soi. En d'autres termes, l'appareil, en tant qu'objet transitionnel, sert d'intermédiaire entre l'état de symbiose qu'entretient l'enfant avec sa mère et sa capacité progressive à établir des relations avec autrui. Ceux qui font du « terrain » ont tous rencontré des enfants qui, à un moment ou à un autre de leur développement, préfèrent jouer avec un ordinateur plutôt que de s'amuser avec des copains. Ils en ont vu également qui jouaient avec un ordinateur en compagnie de leurs copains.

Qu'elle mette en communication le père et le fils ou bien l'enfant et ses pairs, la machine corrige des déséquilibres affectifs. A l'Atelier des enfants du centre Georges-Pompidou, Corinne Rosenthal a fait dessiner la maison de l'an 2010. Elle a recueilli ainsi quatre cents projets dans lesquels les robots jouent un grand rôle. Ce ne sont plus des guerriers de l'espace, du style Goldorak, qui étaient de mise cinq ans plus tôt. Ce sont des machines qui gèrent de multiples relations dans la maison, tout comme s'il y avait un manque à combler : telles les « lunettes vidéo anti-savon », que l'enfant mettra pour se protéger du shampooing, tandis que le robot lui lave la tête, et à travers lesquelles il verra défiler ses rêves de la nuit [17]. La machine à calculer est détournée de son usage premier et transformée par l'usager en machine à communiquer.

Jean Baudrillard [18] et Jacques Ellul [19] remarquèrent en leur temps que la communion ne passait plus par le symbolique mais par la technique. Ils avaient noté cette capacité qu'ont les appareils de réunir les gens. Avec une équipe de chercheurs, nous avons travaillé pendant deux ans, dans le quartier des Olympiades à Paris, avec des groupes de jeunes qui se réunissaient pour faire de la technique. Il ne s'agissait pas de groupes institutionnalisés – dans des associations par exemple – mais de petits groupes informels, dans lesquels les jeunes se rassemblaient selon leurs affinités. Détecter ces groupes et prendre leur attache ne fut pas chose facile pour les adultes que nous étions.

Les déboires furent nombreux mais nous gardâmes longtemps un contact suivi avec un groupe qui pratiquait l'électronique et un autre qui faisait de la musique rock. Nous souhaitions en savoir plus sur cette faculté fédératrice que possède la technologie. Dans un cas, elle était au centre des préoccupations, dans l'autre elle servait une expression musicale. Une des chercheuses, Michèle Descolonges, rencontra par hasard le premier de ces groupes. Trois adolescents étaient en train de tester une sorte d'émetteur. Lorsque la confiance fut établie, on apprit que ce projet était lié à un conflit scolaire. Un micro-émetteur clandestin devait être placé dans la salle où se réunissait le conseil de classe. Ce groupe réalisa ensuite un appareil à faire fuir les moustiques, puis passa tout naturellement à l'informatique. Les jeunes des deux groupes avec lesquels nous étions en contact naviguaient sur de multiples réseaux, dont les nœuds correspondaient précisément à des matériels spécifiques : untel possédait un micro de tel type ou un amoli de telle puissance, le magasin d'ordinateurs du quartier prêtait une imprimante. Pour ces jeunes, le parc de machines dont ils disposaient potentiellement dépassait largement leurs patrimoines respectifs. Notre contact avec eux s'améliora d'ailleurs nettement du jour où nous leur prêtâmes du matériel. Cette aisance à utiliser le réseau trouvait sans doute ses racines, dans les pratiques familiales, que ce soit celles des musiciens, toujours en quête de nouvelles formations, ou celles de militants, toujours à la recherche de nouvelles alliances. Là comme pour les radioamateurs, les cibistes, les usagers du Minitel, la technique renforçait des groupes et des réseaux [20].

L'investissement imaginaire joue un rôle fondamental. Nous eûmes un contact – malheureusement trop bref – avec un groupe de motards sans moto : ils avaient les habits, ils achetaient les revues spécialisées, mais ils n'avaient pas les moyens de s'acheter la moto qui les réunissait [21]... L'énergie qu'ils investissaient dans la pratique technique était considérable. A la suite d'un conflit particulièrement sévère avec un professeur d'un établissement voisin, ces jeunes électroniciens imaginèrent un projet ambitieux. Tout le monde connaît ces jeux vidéo qui simulent un combat dans l'espace. Le joueur en appuyant sur une touche tire et, s'il atteint la cible, en général un vaisseau spatial, il la pulvérise. Il s'agissait de remplacer tout bonnement la silhouette du vaisseau par celle du professeur en question. Le travail fut acharné. Ils durent pour cela décortiquer le logiciel d'un de ces jeux, identifier, avec une culture informatique plus que lacunaire, la séquence d'instructions qui représentait le vaisseau et programmer la silhouette voulue. Ils y réussirent et nombre de jeunes pulvérisèrent électroniquement le malheureux maître qui ne dut jamais se douter de quel cruel traitement il était l'objet.

Ces jeunes ne sont pas *tous* les jeunes : ils reprochent à l'école de ne pas leur donner suffisamment de culture scientifique et technique. A quinze, seize ans, ils sont inquiets pour leur avenir et la pratique de l'informatique apparaît encore à leurs yeux comme un gage d'insertion sociale et professionnelle. Cela peut être à la source des nombreuses pratiques d'autodidaxie et d'apprentissage mutuel dont nous avons été les témoins. Dans différents cas, nous avons constaté l'importance pour ces jeunes du recopiage d'un programme, activité qui se situe à l'inverse de la démarche classique de programmation proposée dans la formation. Ici, on ne construit pas un projet, on adopte un outil, globalement. Chaque fonction, chaque instruction, décodée, comprise, tout de suite ou plus tard, recopiée, prend d'abord un sens par rapport au sens global du logiciel. Sur les réseaux dont ils disposent, se trouvent également des personnes-ressources qu'ils consultent en tant que besoin. Ces jeunes ne sont pas des bricoleurs. Le bricoleur, pour reprendre une analyse ancienne de Claude Levi-Strauss, dispose d'un stock de pièces et d'outils à partir desquels il fabrique ce qu'il peut fabriquer, avec les moyens du bord. Ici, la démarche est tout à fait contraire, empirique, inductive. Elle analyse des situations, les formule en problèmes et y apporte des solutions, non pas à partir d'une liste close de matériels, mais en sollicitant un réseau ouvert. En cela, leur rapport à la technique n'est pas un rapport magique, mais un véritable rapport instrumental, différent de celui qu'on constate dans bien des pratiques familiales. Les machines à communiquer requièrent un espace de travail, qui s'appelle clubs, groupes et réseaux. Elles débordent les institutions dans lesquelles on tente de les installer, que ce soit la famille ou l'école.

On ignore en fait ce qu'apprennent effectivement les jeunes en manipulant ces appareils. Nous sommes tous un peu comme l'institutrice dont on parlait plus haut : on croit leur enseigner les angles, mais c'est autre chose qu'ils ont appris. Patricia Mark Greenfield est professeur de psychologie à l'université de Californie à Los Angeles. Intriguée par la passion de son fils pour les jeux vidéo, elle a depuis lors réalisé une série d'expériences tendant à apprécier les apprentissages effectifs découlant de leur pratique [22]. Elle constate que les enfants, grands consommateurs de télévision, s'ils ne savent pas exprimer verbalement ce qu'ils ont vu, sont en revanche mieux capables que les autres d'identifier les angles de visée sous lesquels on leur présente un objet. De la même façon, ils sont les meilleurs dans des épreuves de pliage de papier, pour construire un cube, par exemple. Les jeux vidéo développent significativement leur capacité à concentrer leur attention sur le lieu le plus probable où interviendra un événement attendu. Il s'agit d'un exercice accru de la faculté de prédiction, qui permet de traiter des événements qui arrivent simultanément sur un écran. En effet, si l'on a pu prévoir l'un d'entre eux, on n'a plus de temps pour considérer celui auquel on ne s'attendait pas. Les joueurs que Patricia Mark Greenfield observe sont capables de gérer plusieurs variables à la fois. Les innombrables règles d'un tel jeu ne sont pas données à l'avance, il faut les découvrir. Comment? Par induction. Réponse inattendue par rapport à l'image généralement condescendante que l'on a de ce type de jeux. Le jeu vidéo contribue ainsi à la formation de l'esprit scientifique et technique. Cela rejoint l'observation du début de ce chapitre : l'image et sa construction intéressent aujourd'hui les enfants plus que les contenus que les adultes veulent leur transmettre. Cependant, tout n'est pas rose dans le tableau qu'elle donne. La télévision ne développe pas leur facilité d'expression et ne contribue pas à leur faire distinguer la réalité de la fiction.

Tel est l'ordinateur dans la sphère des usages que l'on pourrait qualifier de non professionnels. Il est moins machine à calculer que machine à créer de nouveaux liens sociaux. Familier aux enfants, il leur apprend des choses que nous avons, nous adultes, du mal à voir. Il ne se sent pas à l'aise, enfin, dans les institutions où l'on essaie, tant bien que mal, de le caser.

VI

Magies familiales

Les enfants photographes, les premiers auditeurs du phonographe et les jeunes du 13e arrondissement de Paris constituent des échantillons très limités d'usagers. Leur observation, directe ou à distance, par documents interposés, a mis en évidence une grande diversité d'attitudes et de comportements dans la relation aux appareils. Il est temps maintenant d'élargir le champ de notre observation pour avoir un aperçu de la toile de fond et de son évolution. La toile de fond, c'est-à-dire la société française, plus particulièrement celle des ménages. Ce sont eux, en effet, qui se trouvent en première ligne, face aux séductions de l'offre : en tant que consommateurs et usagers potentiels. L'évolution commence en 1880, lorsque les premiers appareils téléphoniques apparaissent dans les résidences parisiennes. En fait, on y trouvait déjà auparavant des lanternes magiques et des chambres noires. Mais à leur sujet n'existent pas, du moins à ma connaissance, d'indications statistiques, pas plus que sur les phonographes.

L'appareil-photo, le poste de radio et le téléviseur sont des instruments qu'utilise la famille pour entretenir ses rapports avec le monde. Ses usages en sont étonnamment stables. La photo immortalise les cérémonies et les vacances, la radio accompagne le petit déjeuner et meuble l'environnement sonore, la télévision est allumée pour le dîner; le soir, elle réunit la famille au complet. Les images qu'elle diffuse, où se mêlent réalité et fiction, constituent un univers de simulacre qui entoure la famille. Tout se passe comme si un tel univers était nécessaire à la subsistance du groupe familial dans la société contemporaine. Dans cette hypothèse, les trois appareils sont des baguettes magiques. Ils font apparaître un monde qui n'est pas le monde « réel », mais un univers de simulacres. En tant que tels, ils participent aux magies familiales.

Les souvenirs de famille : la photographie

Pour le profane, l'usage de l'appareil-photo, depuis qu'il existe sur le marché, c'est-à-dire depuis plus d'un siècle, est essentiellement consacré aux portraits familiaux et aux souvenirs de voyage. En cela, le mythe fondateur de préservation de l'oubli ou de la mort a été bien entendu par la logique d'usage. Mais la sphère technicienne ne cesse depuis lors de lui proposer d'utiliser l'appareil-photo pour des usages professionnels, comme cela se pratique dans la presse et dans l'entreprise. Regardons de plus près les usages effectifs en France.

D'après les enquêtes de l'Insee sur les loisirs, en 1962, 35 % des ménages possédaient au moins un appareil-photo, en 1969, 59,8 %, aujourd'hui environ 80 % [1]. Cette large diffusion de l'appareil-photo est la conséquence de la commercialisation d'appareils simples d'usage : après le Brownie de Kodak, l'Instamatic et plus récemment les appareils Compact. Après une longue période où a prévalu la norme technicienne, dans toute son intransigeance, les constructeurs ont tenu compte des capacités effectives des usagers et simplifié considérablement les appareils.

Chacun garde chez soi quelques très anciennes photos de familles, dont la sépia se fane lentement. Ce furent d'abord des photographes professionnels qui les prirent, dissimulés sous un voile noir, avec de grandes chambres montées sur trépied. Puis nos grands-parents, qui achetèrent des chambres pour amateurs ainsi que des produits pour développer. Puis nos parents avec les Agfa ou Kodak à soufflet. Les statistiques dont on dispose, concernant les pellicules, remontent pour les plus anciennes à 1938. Constituées pour les besoins de l'industrie chimique, elles évaluent les surfaces sensibles en tonnes puis en kilomètres carrés, ce qui n'est pas d'une grande utilité pour notre propos. Elles permettent cependant de constater tout d'abord le lent et progressif déclin de la plaque photographique en verre dont la production et l'importation cumulées passent de deux cent trente mille tonnes en 1938 à deux cent soixante-neuf tonnes en 1959, soit environ mille fois moins. Alors que nous ne disposons pas de statistiques sur la photographie, le chiffre de 1938 est précieux, car il donne une idée de l'usage de la photo. Un calcul relativement simple montre que ce tonnage correspondrait à 4 milliards 600 millions de plaques de 8,5 × 10 cm, pesant chacune 15 grammes. Ce n'est bien sûr qu'une approximation, qui donne cependant une idée de l'usage abondant que l'on faisait déjà de la photographie.

Les appareils évoluent vers une plus grande facilité d'usage – le maniement de la chambre noire était en effet particulièrement compliqué. Le Leica, qui commence sa prestigieuse carrière au début du siècle, les appareils à soufflet, puis le Brownie montrent le souci qu'ont les constructeurs de faciliter la tâche de l'usager. Plus récemment arrive le phénomène « Instamatic ». Kodak lance en 1963 un appareil d'emploi très simple, l'Instamatic, utilisant des chargeurs de pellicules 110 et 126 qui se mettent en place très facilement. Le procédé est plébiscité et contribue à l'ouverture du marché de la photographie. Dix-sept ans après son lancement, en 1980, il s'en vend encore 888 000 (cf. tableau ci-dessous). Les études de marché montrent que la raison principale de son succès vient de ce qu'on en a fait un « produit-cadeau » présenté en coffret, que l'on offrait pour la première communion ou pour Noël. La décision d'achat se conformait ainsi à la norme d'usage familial de la photographie, liée aux grands moments cérémoniels de la vie. La décroissance ultérieure de ce produit est due à l'apparition sur le marché d'appareils compacts, 664 000 ventes en 1985 pour 403 000 Instamatic [2]. Il y a ainsi un front continu d'appareils simples d'usage qui conquièrent un marché croissant.

A l'opposé de la machine simple apparaissent, dans les années 70, les appareils réflex qui connaissent alors une grande vogue. Ils sont achetés par une catégorie que le marketing qualifie d'aventuriers. Aventuriers devaient être aussi ceux de nos grands-parents qui achetaient des chambres photographiques dans les années 20, et qui développaient eux-mêmes les plaques. L'appareil dit « réflex » devait, pour cette clientèle exclusivement masculine, être totalement noir, des chromes sur l'appareil faisant « amateur » à ses yeux. Il revêtait ainsi un aspect professionnel et était effectivement utilisé, qu'il s'appelât Canon, Minolta ou Nikon, en raison de ses performances, par les gens du métier.

RÉSULTAT DE L'ÉTUDE DES POSSESSEURS D'APPAREILS PHOTOGRAPHIQUES EN FRANCE
Récapitulatif des critères discriminants par catégorie d'appareils

Type d'équipement / Critères	Instantané	110/126	25 × 36 Reflex	24 × 36 Non Reflex
Age	35-49 ans	35-49 ans	25-34 ans	25-39 ans
Catégorie socio-professionnelle	Toutes catégories	Modestes	Très aisés Aisés	Aisés
Présence d'enfants au foyer	Nombre élevé	Nombre élevé	Nombre faible	Non discriminant

Extrait de *Stratégies Hebdo,* n° 512, 14-20 avril 1986.

APPAREILS-PHOTO : ÉVOLUTION DES VENTES
(MATÉRIELS GRAND PUBLIC)

Produits/Années	1976	1977	1978	1979	1980	1981	1982	1983	1984	1985	1986 % (estim.)	85/76
Compact	125	146	159	200	252	302	431	481	498	644	750	+ 415
Réflex	245	256	307	384	453	465	429	412	330	308	300	+ 26
126	491	406	300	218	168	127	70	54	35	9	–	–
110	562	506	618	710	720	682	512	551	485	394	–	– 30
Disc	–	–	–	–	–	–	125	280	293	265	–	–
Instantané	–	–	–	–	450	320	300	250	200	220	–	–

Extrait de *Stratégies Hebdo, ibid*.

PELLICULES : VOLUME DE VENTE 1980-1985
EN MILLIONS D'UNITÉS

Types de pellicule	1980 %	1981 %	1982 %	1983 %	1984 %	1985 %	1986 (tendances)
135 négatif couleur	13,6	16,1	19,2	22,6	24,9	27,5	↗
135 inversible	11,3	11,7	12,0	12,0	11,6	11,7	(légère progression) ↗
135 noir & blanc	6,5	6,0	5,9	5,8	5,0	4,8	(légère baisse) ↘
126 négatif couleur	12,0	11,2	10,1	8,7	7,4	7,2	↘
110 négatif couleur	12,6	13,8	14,5	14,0	13,8	13,9	↘
Disc	–	–	0,5	2,3	3,7	4,7	
Pellicule instantanée	–	–	–	–	–	4	(légère hausse) ↗

Extrait de *Stratégies Hebdo*, n° 511, 7-13 avril 1986.

Les études de marché [3] constatent que la grande majorité des Français – 90 % – ne voient dans la photo que l'intérêt du souvenir qu'elle représente. Seuls les 10 % restants la considèrent comme un hobby, ce qui permet de penser qu'une bonne partie des 47 % d'aventuriers de 1970 n'avaient acheté un appareil compliqué que pour des raisons d'ordre symbolique, telles que le signe extérieur de compétence technicienne. Aussi parce que c'était un instrument de séduction, le photographe de mode étant alors très en vogue.

Le début des années 70 correspond à une forte poussée de l'enthousiasme pour l'audiovisuel, que l'on retrouve en Angleterre, en France, et au Québec avec la vidéo. Les aventuriers qui composaient 43 % du public des acheteurs sont tombés à 14 % en 1987 [4] et, corollairement, on assiste depuis 1982 au déclin progressif et continu des ventes de réflex. Dans le même temps, la première flambée audiovisuelle s'éteignait doucement [5].

Les réflex se voient à leur tour supplantés par les compacts qui de 125 000 en 1976, passent à 750 000 en 1986. Leur conception est diamétralement opposée à celle des réflex de 1970. Toutes les fonctions sont automatisées : vitesse d'obturation, déclenchement du flash en cas de sous-exposition et mise au point par système autofocus. Ces appareils sont nettement orientés vers l'usager profane qui ne veut rien connaître de la technique pour obtenir son cliché. Mais on assiste actuellement à un léger reflux de l'automatisation totale, car, constate un professionnel – Bernard Michaud, directeur de marketing chez Pentax –, l'usager aime bien lancer des défis à la machine, donc à lui-même. On doit donc s'attendre à voir apparaître des compacts qui autorisent certaines manipulations que l'on ne trouvait que sur les réflex. Les récents appareils de Panasonic et de Pentax, nantis de zooms 35-70, en constituent l'amorce.

Mais l'usage effectif de l'appareil reste néanmoins très faible, au point qu'en 1984 les professionnels créent l'Association pour la promotion de l'image qui lance alors une campagne collective pour la promotion de la photo. Canon France estime en 1985 que 80 % des Français sont munis d'un appareil mais n'utilisent que trois pellicules par an.

Le tableau ci-contre retrace l'évolution, de 1979 à 1985, du stock d'appareils et des achats de pellicules. Le parc d'appareils en service est estimé à 12 millions en 1979, il s'accroît chaque année des ventes, diminuées du nombre d'appareils jetés chaque année, estimé à 10 % [6].

	1979	1980	1981	1982	1983	1984	1985
Stock d'appareils brut	3 512	15 555	17 451	19 318	21 346	23 187	25 027
Appareils achetés (millions)	1 512	2 043	1 896	1 867	2 028	1 841	1 840
Stock net	11 981	14 000	15 706	17 387	19 212	20 869	22 525
Pellicules (en millions d'unités)		56	58,8	62,2	65,4	66,4	73,8
Pellicules par appareil		4	3,74	3,6	3,4	3,2	3,28

La croissance des achats de pellicules ne suit pas celle du parc d'appareils en service (stock net), malgré la forte hypothèse de mise au rebut chaque année d'un appareil sur dix. En moyenne, le nombre de pellicules utilisées par appareil ne cesse de diminuer.

C'est ainsi qu'on voit se dessiner la divergence entre achat et usage. La publicité, les normes sociales, le goût pour la modernité, l'accroissement démographique contribuent à augmenter la vente des appareils. Mais ceux-ci, une fois achetés, ne servent plus. Finies les photos de mode, terminés les reportages, les recherches artistiques en tout genre, on en revient aux photos de vacances et de première communion. La diminution des ventes de pellicules en atteste.

Certains industriels pensent alors qu'il faut faire bouger ces normes et propager d'autres usages.

La percée des appareils-photo instantanés donne des indications intéressantes. En 1985, il y avait en France 3,6 millions de types d'appareils sur 20 millions, dont 90 % de la marque Polaroïd, qui proposa son premier appareil en 1948 [7]. Depuis 1974 les utilisateurs n'ont plus besoin de séparer le négatif du positif après la prise de vue. Jusqu'à 1985, la politique commerciale de la firme s'aligne sur la norme d'usage familial et intensifie ses campagnes de publicité en juin, mois des premières communions et de préparation des vacances, et en décembre, mois des cadeaux. Ses images publicitaires concernent toujours le milieu familial. En 1985, Polaroïd lance, pour développer son marché, une offre d'usage de la photo instantanée en tant que bloc-notes. L'idée est la suivante : plutôt que de laisser à un artisan, un garagiste, un petit mot mal ficelé pour lui dire ce qu'on attend de lui, on lui laissera un cliché Polaroïd annoté au crayon marqueur. Une forte campagne publicitaire de cinquante-deux spots sur TF 1 et Antenne 2 provoque un accroissement de 10 % des ventes d'appareils et de 5 % des ventes de pellicules. Mais il est trop tôt pour savoir si ce nouvel usage sera légitimé par les usagers. Le possesseur type d'un Polaroïd se situe entre trente-cinq et quarante-neuf ans et a de deux à cinq enfants, ce qui confirme la prégnance de la norme familiale. C'est un individu sociable et chaleureux : 81 % des tirages sont aussitôt regardés par la famille et les amis et 61 % sont offerts.

De façon générale, selon une étude menée par Polaroïd, l'usager moyen d'appareils-photo, tous types confondus, a entre vingt-cinq et trente-quatre ans. Le milieu social influe peu sur la décision d'achat [8], mais davantage sur le type d'appareil : les appareils simples sont plus nombreux dans les foyers modestes avec de nombreux enfants, les compacts concernent les foyers aisés et les réflex ne concernent que les catégories aisées habitant dans les grandes villes [9]. La firme Konica, qui a lancé en 1977 le premier compact à mise au point automatique, a diversifié les coloris de sa gamme de compacts en constatant une différence fondamentale entre l'homme et la femme au sujet de la photo. L'homme est attiré par la photo d'art et photographier est pour lui un acte sérieux, tandis que la femme prend des photos-souvenirs pour un plaisir qu'elle affiche sans prétention.

L'augmentation du parc photographique ne s'est pourtant pas accompagnée d'une diversification des usages – ce qui aurait été marqué par un accroissement de la consommation des pellicules. L'utilisation de cet appareil, qui existe depuis près d'un siècle et demi, est restée fixe pour le grand public. On aurait pu penser qu'elle évoluerait comme dans l'entreprise ou dans la presse : le maître ou le professeur aurait pu demander aux élèves d'illustrer leurs devoirs par des photos qu'ils auraient prises eux-mêmes, un cliché parlant aurait pu se substituer à certaines correspondances.

Rien de tout cela. Les constructeurs reconnaissent la difficulté d'imposer de nouvelles utilisations au grand public.

Ces chiffres confirment donc la persistance de la norme d'usage de la photographie, principalement centrée sur la famille et la perpétuation du souvenir : « Aimez plus fort en photo », disait la campagne publicitaire de l'Association pour la promotion de l'image. Quant à Agfa, paraphrasant le mythe du potier de Sicyone, sa publicité parlait, en 1986, de la pérennité de l'empreinte de l'homme. La clientèle demande d'ailleurs que les clichés se conservent plus longtemps, ce qui indique bien que la tendance globale ne s'oriente pas vers les usages de communication à caractère éphémère, comme Polaroïd tend à le promouvoir.

L'hypothèse serait ici que l'usage historiquement institué se réfère au portrait. Or, un portrait ne se jette pas. Dans le long terme, se serait ainsi établie une norme de l'appareil-photo comme machine à conserver. La logique d'usage est têtue. Les appareils-photo ont des rôles bien spécifiques dans l'univers familial et ils participent, comme l'avait montré Pierre Bourdieu, à ses rites. La mémoire s'est ainsi constituée autour d'une utilisation privilégiée.

Cela expliquerait les échecs des différentes tentatives pour imposer de nouveaux usages. On en vient alors à la question de savoir si l'usage de ces appareils peut évoluer véritablement, question importante qui sera abordée plus loin. La réponse pour la photographie grand public est aujourd'hui négative.

Un test intéressant de cette hypothèse va voir le jour dans les années qui viennent, à l'initiative des constructeurs japonais. Certains d'entre eux substituent la disquette d'ordinateur à la pellicule. La photo est alors visible sur le téléviseur. Ce procédé suppose deux déplacements dans la représentation que l'on se fait de l'usage de la photo : le premier parce que le support est effaçable et non plus pérenne. Le second parce qu'on associe dans le même paradigme d'usage, deux médias qui sont pour l'instant, dans l'esprit du public, totalement dissociés. L'offre technologique réussira-t-elle à provoquer ce double déplacement? C'est à l'usager de répondre.

La solitude, ça n'existe pas : la radio

Il semble tout naturel aujourd'hui que l'usage principal de la radio concerne la retransmission d'émissions pour la distraction des particuliers. C'est en fait le résultat, là aussi, de transactions de longue durée entre les techniciens et les usagers.

A la fin de la guerre de 14, la radio a plusieurs usages. On s'en sert pour envoyer des messages télégraphiques [10] des signaux pour guider les navires, des repères horaires, des mesures scientifiques et, c'est une innovation due au conflit, pour téléguider les navires. Rien ne dit à l'époque que ce sera une autre fonction, celle d'information et de distraction, qui prévaudra dans les décennies à venir. Cécile Meadel explique cela de la façon suivante. Des émetteurs divers – ils fleurissent car la téléphonie sans fil excite l'imagination des techniciens – lancent dans l'espace, à heures fixes, des émissions de service, par exemple un bulletin météorologique, ou encore des radios-concerts. De la même façon que les premiers wagons ressemblent matériellement à des diligences, la radio simule fonctionnellement le phonographe, réservé alors à la musique classique et à la chanson. La notion de programme, c'est-à-dire d'organisation continue dans le temps de divers types d'émissions, n'existe pas encore.

Il faut « attraper » ces émissions, ce qui confère un caractère ludique indéniable à l'écoute radiophonique des premiers temps. Le filet pour attraper ce genre de poisson est le poste à galène. Les jeunes générations n'ont pas connu cet assemblage de bobines et de fils autour d'un cristal de galène, sur lequel l'opérateur promenait une aiguille afin de détecter la source sonore. Je contemplais ainsi mon oncle en train d'officier. C'était assurément plus fascinant que d'appuyer sur une touche préprogrammée. Et le grand plaisir était d'entendre et non d'écouter, Cécile Méadel a raison de le souligner. Quelques décennies auparavant, c'était la même chose pour la lanterne magique. Les manipulations des sources lumineuses étaient si compliquées que le but à atteindre était de faire arriver l'image jusqu'à l'écran. Alors, on la voyait plus qu'on ne la regardait. C'est toujours vrai, de nos jours, des radioamateurs qui exultent lorsqu'ils ont établi une nouvelle liaison; le contenu de l'échange importe finalement très peu. On peut se demander si les usagers des messageries télématiques n'éprouvent pas non plus un plaisir de ce type.

Dans cette période héroïque, la distinction entre émetteur et récepteur n'existe pas, tout comme elle n'existait pas pour les premiers phonographes. Le même dispositif sert aux deux. La différence est faite par la loi qui interdit les émetteurs non autorisés. La France prend du retard par rapport aux autres pays qui installent des émetteurs de plus en plus puissants au point que les sans-filistes préfèrent écouter souvent des postes étrangers. Une enquête de 1930 [11] indique que vingt postes étrangers sont mieux entendus que les émetteurs français, excepté les quatre suivants : Radio-Paris, Radio-Toulouse, Tour Eiffel et Lyon-la-Doua.

Dans les premiers temps, le sans-filiste se devait de construire lui-même son appareil. Mais les constructeurs s'aperçoivent qu'ils ne peuvent développer leur marché, en particulier parmi le public féminin, car les pays étrangers exportent des appareils dans lesquels la molette de réglage et un haut-parleur supplantent respectivement le détecteur et les écouteurs du poste à galène. Du coup, un récepteur s'appelle un haut-parleur. On fredonne alors :

Ma concierge, Madame Josèphe
Raffole de la TSF
Elle a d'ailleurs un haut-parleur
Et, dans sa loge, tous les soirs
Des tas de commères viennent la voir
Pour écouter et papoter...

L'usager a moins besoin de connaissances techniques et, comme pour la télévision à ses débuts, vingt ans plus tard, l'écoute de la radio se pratique en groupe.

Les postes émetteurs se multiplient. Le Sud-Ouest aquitain est une des régions les mieux équipées. Trois postes privés voient le jour : Radio-Agen et Radio-Mont-de-Marsan, en 1924, Radio-Sud-Ouest en 1925 et Bordeaux-Lafayette, poste d'État, en 1926.

Abel Dumon, secrétaire du Radio-Club landais, déclare dans son discours d'inauguration de Radio-Mont-de-Marsan, le 12 février 1925 : « ... Bien des gens sont étonnés d'entendre chez eux la parole, la musique et les chants avec une pureté que ne peuvent atteindre les meilleurs phonographes.

« Ce que les anciens avaient rêvé, les modernes l'ont réalisé.

« A l'heure précise des concerts annoncés par les journaux, le simple citoyen, l'agriculteur, le résinier, tranquillement assis à leur foyer, écouteront à l'aide d'appareils extrêmement simples, tout ce qui peut les intéresser : prévision du temps, cours des denrées, du bétail, de la résine, des changes, des valeurs, dernières nouvelles, le tout agrémenté de concerts, de chants, de conférences [12]. »

En 1930, René Duval, historien de la radio, dénombre vingt-cinq émetteurs autorisés, mais en 1932, il y en a, en fait, 410 qui fonctionnent clandestinement. Jusqu'au début de la Seconde Guerre mondiale, la radio se développe principalement dans les villes, dans les régions industrielles et dans la moitié nord de la France. Il y a 1.400.000 postes en janvier 1934 [13].

Arrive la guerre. Les auditeurs se sont accoutumés

depuis quelques années à entendre de mauvaises nouvelles à la radio, de la propagande aussi, du Führer notamment, sur Radio-Stuttgart. De Gaulle et l'équipe des « Français parlent aux Français », composée de J. Duchesne, Jean Marin et Jean Oberlé, font alors émerger un nouvel usage de la radio, celui de la résistance, avec Radio-Londres, puis, en 1943, Radio-Brazzaville. Relisons ce qu'en disait le général dans ses *Mémoires* : « Les Anglais, entre autres mérites eurent celui de discerner immédiatement et d'utiliser magistralement l'effet qu'une radio libre était susceptible de produire sur des peuples incarcérés. Ils avaient, tout de suite, commencé d'organiser leur propagande française. Mais, en cela comme en tout, s'ils voulaient favoriser la résonance nationale que trouvaient de Gaulle et la France libre, ils prétendaient aussi en profiter tout en restant maîtres du jeu. Quant à nous, nous n'entendions ne parler que pour notre compte. Pour moi-même, il va de soi que je n'admis jamais aucune supervision, ni même aucun avis étranger, sur ce que j'avais à dire à la France [14]. »

On se souvient encore des conditions de l'écoute, qui était interdite en France pendant l'Occupation : musique de moulinette, voix difficilement audibles à cause des tentatives constantes de brouillage, messages sibyllins. Écouter la radio fait, pour la première fois, encourir le risque d'être arrêté.

Dans l'après-guerre, les ménages s'équipent. En 1952, ils sont 65 % à posséder un récepteur, en 1962, 84 %, en 1979, 90,2 % et en 1986, 95 %. Ce n'est plus le seul chef de famille qui manipule le poste, tout le monde le fait désormais fonctionner. Dans l'après-guerre, ce sont d'abord les citadins et les intellectuels qui écoutent la radio. L'enquête de 1952 de l'Insee [15] sur l'écoute radiophonique en France montre que 79 % des hommes et 72 % des femmes font fonctionner le récepteur. En 1954, 51 % des auditeurs ne changent pas souvent de longueur d'onde et 56 % écoutent des émissions sans savoir quelle station les diffuse. Le Poste Parisien et Radio-Luxembourg sont alors les

plus écoutés. Quinze ans plus tard, en 1969, le phénomène a peu régressé puisque 46 % des ménages
usagers ne fondent leur choix d'écoute ni sur les
annonces faites à la radio, ni sur les programmes
publiés dans les quotidiens ou les revues spécialisées.
Mieux, 34 % laissent toujours l'aiguille du poste bloquée sur une même station [16].

Cependant on *écoute* véritablement l'émission choi-
sie – selon 50 % des personnes interrogées alors. Cela
ne va pas sans mal, d'ailleurs, car il y a des « para-
sites », ces bruits désagréables qui gâchent l'émission
et le plaisir. En 1954, 44 % des auditeurs disent que
ça les gêne beaucoup, et 41 % un peu [17]. En tout cas,
cela ne les décourage pas. Les usagers aiment la radio.
On se rassemble devant le poste, le soir, pour écouter
« La famille Duraton », « Les maîtres du mystère »,
« Reine d'un jour », ou, le jeudi après-midi, Alain
Saint-Ogan animer « Les beaux jeudis ». L'écoute de
la radio est alors totalement différente de celle que
nous avons aujourd'hui, saturés que nous sommes
d'images télévisuelles. J'essayais, en écoutant « Les
beaux jeudis », de *voir* littéralement au-delà du poste
de radio – un récepteur Philips en bakélite – la scène
du théâtre où était enregistrée l'émission, les présen-
tateurs, les enfants présents, le public dans la salle.

Woody Allen, dans son film *Radio Days,* a fort bien
recréé l'ambiance familiale de l'écoute radiophonique.
Celle de Brooklyn n'y est pas très différente de celle
de Paris. Chacun y a son émission favorite. La mère
suit chaque jour le dialogue mondain d'Irène et de
Roger, l'oncle écoute « La saga du sport » tandis que
la tante Bea danse en écoutant de la musique de
charme. Le petit Woody est un assidu du « Vengeur
masqué ». Et le papa rabbin donne son opinion sur
toutes les émissions et ne se prive pas de critiquer.
La radio a une forte composante émotionnelle, et ce
même film fait revivre la façon dont l'Amérique a
suivi avec angoisse le destin de la petite Polly Phelps
tombée au fond d'un puits. Le petit Woody est en
train de recevoir une fessée. La radio marche. Un

flash annonce l'accident. Le père change instinctivement de conduite et serre son fils dans ses bras. Nombreux sont ainsi les transferts d'émotion que l'on doit à la radio. Aussi n'a-t-elle pas perdu sa place par rapport à la télévision. Le transistor marche le matin, dans la cuisine, au petit déjeuner et donne, pour la plupart, les informations du jour qui seront commentées le soir par le journal télévisé.

Les taux journaliers d'écoute de l'époque montrent déjà des clochers significatifs au moment des repas : 15 % des auditeurs, de 7 h 30 à 8 heures, 35 % de 12 h 30 à 13 heures, et plus de 40 % de 20 heures à 20 h 30. Avant, on n'en sait rien de façon précise puisque l'enquête de 1952 distingue une tranche d'écoute « après 18 heures » qui ne permet pas d'évaluer l'audience au moment des repas. Elle ne distingue pas non plus les informations comme genre radiophonique. En 1969, on écoute la radio en moyenne une heure quarante-deux par jour : beaucoup, les informations nationales et internationales (70 % des individus), peu, en revanche, les informations régionales (28 %). La radio donne l'heure à 62 % des gens et le temps qu'il fera à 44 %. Gilbert Bécaud chantera quelques années plus tard :

> *la solitude, ça n'existe pas*
> *la radio et la télé sont là*
> *pour me donner le temps et l'heure*

L'enquête de l'Insee de 1973 sur l'écoute radiophonique et le temps social a fait très clairement apparaître la fonction rituelle. Son auteur, Bernadette Seibel, constate que les auditeurs qui présentent le taux de fréquentation le plus élevé sont ceux qui ont à la fois une écoute cumulée maximale et qui ne choisissent pas leurs émissions. Une telle pratique a pour rôle d'assurer une présence dans le foyer pendant les heures où le mari n'est pas là. Mais elle suppose aussi un automatisme quasi pavlovien. Si la personne est seule et si le moment de la journée est venu, alors elle allume la radio. L'écoute radiophonique structure

153

ainsi le temps libre, il le scande par des carillons, des flashs, des publicités et le découpe ainsi en intervalles. Il y a là une fonction de rituel, car ce découpage du temps renvoie au rythme de l'ensemble de la société.

Lorsque, dans les années 20, il fut décidé que le chemin de fer de Paris à Bordeaux ne passerait pas par Libourne, les maires de la région demandèrent qu'on leur installât un émetteur radiophonique, pour donner l'heure. Un de leurs regrets était en effet de ne pas entendre le train ponctuer par son bruit et ses sifflements la vie du pays. La radio le ferait à sa place, considération inattendue qui identifie locomotive et réveille-matin !

Au départ, les gens n'aimaient pas la publicité radiophonique; même si l'on fredonnait « Dop, dop, dop, adoptez le shampooing DOP! » 50 % des auditeurs étaient indifférents à la « réclame » et 20 % la trouvaient carrément déplaisante, même chez les jeunes de dix-huit à vingt-quatre ans. Au travers de l'enquête de l'Insee qui retrace les goûts des auditeurs en 1952, 1954 et 1961 on constate une tendance persistante à demander moins de grande musique, de jazz, d'opéras et de poésie. La grande musique, l'opéra et la poésie étaient diffusés avec prédilection par les radios d'avant-guerre. C'était une rémanence du phonographe. Après la guerre, le jazz est refusé avec obstination par tout le monde, aussi bien par les manœuvres que par les intellectuels, à l'exception des jeunes de seize dix-sept ans. En revanche, on veut plus de chansons, de théâtre, de sport et de variétés. La France d'après-guerre veut s'amuser, oublier Radio-Stuttgart et son « bourrage de crâne ».

C'est bien la logique des usagers qui a ainsi construit le moule dans lequel se sont coulés les médias contemporains : distraire avant tout. Ainsi se forge l'hypothèse que le style médiatique contemporain, axé principalement sur la distraction, trouve, par sondages interposés, son origine dans l'insouciance de la Libération, qui s'opposait, par mouvement de balancier, aux heures noires de l'écoute clandestine sous l'Occupation. La mémoire institutionnelle veut que les médias amusent, alors que nous n'avons plus la même envie de rire.

Si les contenus des émissions radiophoniques ont changé, les modalités d'écoute ont aussi beaucoup évolué. En 1969, on *écoute* moins et on *entend* plus, en faisant autre chose. Seuls 14 % des auditeurs écoutent les informations en ne faisant rien d'autre. 35 % entendent la radio en vaquant à leurs occupations. En 1979 [18], il faut avoir moins de quarante mille francs de revenus annuels pour n'avoir pas de transistor. Aujourd'hui, d'après l'enquête Ipsos-sofrès-Médiamétrie [19] l'écoute moyenne quotidienne est de cent quatre-vingt-huit minutes, soit trois heures et huit minutes. La norme d'usage fluctue sur la longue durée. Aux tout débuts de la radio, l'essentiel était de réussir à entendre. On a ensuite écouté religieusement les émissions. De nouveau, on ne fait qu'entendre...

La durée globale d'écoute a considérablement augmenté, de même que le nombre de postes émetteurs [20].

Comme pour la photo et le téléphone, le comportement autonome des usagers est de négocier avec l'offre technologique. Cela prend du temps, cela fluctue. Pour la radio, le phénomène s'étend sur près d'un siècle. La logique des usagers les conduit à inscrire la technologie dans les modes de vie et dans leurs rites. C'est frappant pour l'écoute au moment des repas. Les sondages effectués par les institutions médiatiques en ont tenu le plus grand compte pour la programmation. Le besoin de ritualiser la mesure du temps, qui se satisfaisait de l'écoute de l'angélus ou du passage des trains, s'est ensuite fixé sur la radio pour investir, de nos jours, les actualités télévisées.

Détournements

Il est couramment admis que la radio a fait dans l'histoire l'objet de bien des détournements. On se souvient des radios-pirates, de Radio-Caroline qui émettait vers la Grande-Bretagne depuis un navire situé en dehors des eaux territoriales. On a présent à l'esprit l'inculpation du député François Mitterrand pour le soutien qu'il apporta à une radio libre non contrôlée par l'État. Aujourd'hui, de nombreuses radios émettent en France sur la bande de modulation de fréquence. Mais peut-on parler de détournement? Ce n'est pas le cas si l'on admet que le détournement implique une modification du modèle d'usage. Les cas cités fonctionnent tous selon le modèle décrit par Pierre Schaeffer dans *Machines à communiquer*. Il y a un émetteur, contrôlé par un pouvoir quelconque – ce n'est plus forcément l'État, ce peut être un parti politique, un sponsor... – qui adresse des messages vers un public récepteur, qui n'a guère le moyen de réagir. Or, il a existé des cas dans lesquels ce schéma a été modifié. L'un d'entre eux mérite d'être décrit ici : Antelim créé par Yves et Marie Le Gall. La particularité d'Antelim a résidé dans le principe, très schaefférien, que les usagers, à condition d'être initiés aux manipulations techniques des moyens de communication, peuvent aussi devenir les producteurs de leurs messages.

Les marins de commerce, et leurs femmes, ont répondu positivement à l'offre qui leur était faite d'assurer eux-mêmes trois quarts d'heure d'émission hebdomadaire sur Radio-France Internationale.

Dans un premier temps, il a fallu mettre en place un réseau dans le milieu maritime. Le rôle des professionnels d'Antelim s'est borné à informer (« il y a un créneau radiophonique possible pour le milieu maritime »), à coordonner les volontés (« si cela vous intéresse, vous vous organisez et vous vous engagez à une production régulière ») et à former (des stages ont été organisés sur le reportage, l'interview, l'enregistrement, le montage). Au bout d'un an, trente cellules, intitulées Unités d'expression et de communication (UEC), se sont mises en place. Issues le plus souvent d'associations locales existantes, ces cellules, composées de cinq à huit personnes, ont programmé et réalisé tous les contenus des émissions. Évitant les messages personnels, c'est l'expression d'un vécu collectif dans tous ses aspects qui a été pris en charge par ces deux cent cinquante personnes. Les sujets choisis concernaient aussi bien le travail, la formation, les loisirs que les relations. Ces émissions réalisées par des amateurs concernés restent uniques dans leur ton et dans leur forme, loin des genres établis par les gens des médias. Ainsi ces brèves nouvelles locales, sortes de cartes postales sonores, qui rappellent par les voix familières le pays à ceux qui travaillent au large du cap de Bonne-Espérance ou au fond du golfe Persique; ainsi ce reportage sur le lancement d'un nouveau bateau qui fait alterner les discours officiels avec les interviews des collègues affectés à des postes nouveaux sur cette unité. Enfin, cette revue de presse « finistérienne » à plusieurs voix, résultat d'un travail de toute une matinée.

Des initiatives ont été prises pour des magazines spéciaux : enquêtes sur les politiques maritimes définies par les quatre principaux partis politiques en 1981, soirées de Noël en direct, en duplex entre des bateaux dispersés en mer et des cellules de terre, enfin un programme de socialisation de la micro-informatique.

Pendant un an, dix minutes d'émission hebdomadaire ont été consacrées à des témoignages, discussions, débats sur l'informatique. La diversité des sujets et de leur traitement montre comment un médium, la radio en l'occurrence, peut accompagner la métabolisation d'une nouvelle technologie : un chef mécanicien a, par exemple, raconté ses déboires avant qu'il ait compris la nécessité de purger une calculette; des seconds-maîtres ont proposé des logiciels améliorés pour planifier un bon chargement; des élèves des écoles de la Marine marchande ont disputé à distance et en différé une grande bataille navale; des femmes, enfin, ont fait raconter au pharmacien du département comment il avait informatisé son système de commande de médicaments.

La richesse et la diversité de ces productions (trois mille cinq cents sujets), la ténacité et la persévérance des bénévoles (les diffusions ont eu lieu pendant six ans, chaque semaine, sans une seule défaillance) prouvent que des formes nouvelles de communication répondant à des besoins réels peuvent être proposées.

Garde d'enfants et ménage à trois : la télévision

16 h 45. L'enfant se sert encore très mal du trousseau de clés; il a du mal à ouvrir la porte de l'appartement. La classe s'est terminée il y a dix minutes. Il a juste eu le temps de passer à la boulangerie pour acheter quelques sucreries, mais sans traîner, car pour rien au monde il ne voudrait rater son programme à la télé. La porte enfin ouverte, le cartable jeté sur la moquette, il met aussitôt le récepteur en marche. Mâchant son chewing-gum, sans avoir quitté son anorak, il dévore l'écran des yeux. Sa mère le trouvera là, en rentrant du travail, hypnotisé par son gardien. Parfois, il marmonne : « C'est nul » et éteint le poste, non sans s'être assuré préalablement qu'il n'y a rien d'intéressant sur les autres chaînes.

Vers 18 h 30, le téléviseur cesse d'être gardien pour devenir machine à distraire. La mère est rentrée, son feuilleton l'attend. A 20 heures, lorsque tout le monde est enfin là, il devient machine à informer. Souvent d'ailleurs, on dîne pendant les informations télévisées. Rapidement, car il y a à 20 h 30 une retransmission du match France-Irlande. Le père a mis du champagne au frais. Car on trinquera, quel que soit le vainqueur, avec le voisin qui vient passer la soirée, sa femme voulant à tout prix regarder « Dallas ». Le réfrigérateur est ainsi annexé pour la circonstance au téléviseur.

Peu d'objets domestiques se sont incrustés aussi vite dans la vie familiale que le téléviseur. Il a fallu vingt ans à peine pour qu'il y parvienne, cumulant les rôles, tour à tour surveillant, distrayant, informant, rassurant. La logique d'usage a enrobé l'appareil dans un tissu complexe de pratiques.

Le procédé a tout juste cinquante ans. On a commencé à émettre régulièrement, dès 1936, depuis le 107 de la rue de Grenelle, à Paris, des émissions expérimentales pour les six premiers téléspectateurs de l'époque qui détenaient un poste chez eux. Puis on équipa d'un matériel franco-allemand, LMT et Telefunken, le studio de la rue Cognacq-Jay pour qu'il émette régulièrement [21]. Mais arriva la déclaration de guerre puis l'invasion. Lorsque les Allemands pénétrèrent dans le studio déjà équipé de quatre caméras, leur intention fut de le démonter et de le transporter à Berlin où il y avait aussi un émetteur. Grâce à une négociation vigoureuse, le studio fut maintenu en état de marche à la condition que les quatorze heures quotidiennes d'émission servent à distraire les blessés allemands soignés dans les hôpitaux parisiens. Les premiers téléspectateurs parisiens furent donc des Allemands.

A la Libération, le studio fut repris en main par les Français qui poursuivirent les émissions expérimentales. En 1949, furent diffusées les premières émissions à l'intention du public. Les premiers postes avaient la forme des récepteurs de radio de l'époque, construits en bois et dotés de gros boutons en bakélite. L'écran cathodique y remplaçait le cadran de recherche des émissions. Bien que très volumineux, ils ne produisaient qu'une image de petite dimension, qu'on pouvait toutefois agrandir en installant devant une loupe de verre contenant de la glycérine.

On regarda d'abord la télévision dans les cafés et chez quelques privilégiés. Puis l'écoute domestique l'emporta, la niche de la télévision ayant été préparée par la radio. Selon Jean d'Arcy, premier président de l'ORTF, en 1952, ce furent les classes populaires qui adoptèrent en premier la télévision, alors qu'on s'attendait plutôt à voir fleurir les antennes du côté de Passy. A partir de 1960, les ventes atteignirent des chiffres considérables. Entre 1961 et 1964, les Français achetèrent quatre millions deux cent quatre-vingt mille récepteurs [22]. En 1965, 45 % des ménages étaient équipés. De nos jours, ils sont 95 % [23].

En 1963 [24], l'audience est considérable : 82,4 % des possesseurs la regardent tous les jours. La première fascination retombe assez vite. En 1967, selon l'Insee, ils ne sont plus que 51 % à la regarder quotidiennement. Puis l'accoutumance produit son effet. En 1980, ils sont à nouveau 65 % et, en 1987, près de 88 %. En 1975, les téléspectateurs passent en moyenne une heure vingt-deux devant le petit écran et aujourd'hui une heure quarante-huit. Certaines études comme celles du CESP indiquent que le téléviseur fonctionne en moyenne trois heures par jour.

On s'est aperçu entre-temps que les enfants étaient de grands consommateurs. La première enquête, effectuée en 1980 par le Centre d'études d'opinion [25] révèle ainsi que pour les huit-douze ans, la moyenne nationale d'écoute est de vingt heures par semaine. Dans certaines de nos enquêtes de terrain, mes collaborateurs et moi-même avons rencontré des enfants qui passaient jusqu'à quarante heures par semaine devant le petit écran. Les petits Sapiens modernes restent donc assis plus de soixante-dix heures par semaine, à écouter ce que leur racontent le maître d'école et le téléviseur. Ces chiffres de consommation télévisuelle concordent avec ceux que donnent les enquêtes effectuées dans d'autres pays, aux États-Unis en particulier.

Le phénomène est suffisamment important pour que l'on tente de comprendre la logique qui a conduit à l'intégration de la télévision dans les pratiques quotidiennes de la plupart des pays de la planète. A y regarder de près, nous constatons que le téléviseur régule divers déséquilibres dans le foyer. En retour, les usages ont forgé une grille de programmes qui tient le plus grand compte des moments de la journée et des catégories de personnes intéressées. Après une première période d'écoute collective dans les cafés, les récepteurs se sont introduits dans les appartements, ce qui a engendré une industrie de câblage interne des immeubles. Personne ne prévoyait il y a trente ans une telle intégration de la télévision dans la vie. Parmi les multiples usages de ce nouvel outil de communication, il y a la fonction de gardiennage, qui est allée de pair avec l'accroissement du nombre d'appareils et le développement du travail féminin. La prise de conscience de cette fonction a eu lieu d'abord aux États-Unis, au début des années 70. A New York, le Children Television Workshop (CTW) crée alors une série enfantine, aujourd'hui mondialement connue, « Sesame Street ». L'objectif de ces émissions était de garder les jeunes enfants, de cinq ans et moins, chez eux, dans un pays où l'école maternelle n'existe pas. Garder signifiait retenir leur attention au point qu'ils ne songent pas à faire autre chose – à aller dans la rue, par exemple. Louise Fortune, un des membres du CTW, présentait il y a quelques années, au cours d'un congrès qui se tenait à Monte-Carlo, les recherches en cours pour créer des images telles que les prunelles des enfants ne quittent pas un instant l'écran des yeux. Cette volonté de capter l'attention de l'enfant conduisit à la création de petits monstres amusants, de messages brefs, distrayants et instructifs en même temps, qui influèrent considérablement par la suite sur la publicité à la télévision. Aujourd'hui, on confie couramment un enfant à la garde du téléviseur, sans considérer les effets multiples et souvent néfastes qu'il exerce.

Proche de cette fonction de gardiennage, le téléviseur joue aussi le rôle tenu autrefois par les dames de compagnie, pour les personnes âgées d'un certain milieu. Les femmes au foyer l'allument dès le matin pour toute la journée. Il est d'ailleurs souvent placé dans la salle de séjour de telle sorte qu'on puisse y jeter un coup d'œil depuis la cuisine. Le son est mis suffisamment fort pour que l'importun éventuel, sur le palier, sache qu'il y a quelqu'un dans l'appartement.

Autre fonction : la distraction. Les téléspectateurs expriment des désirs qui s'inscrivent dans le droit fil de ceux qu'émettaient les auditeurs pour la radio. En

161

1982, on préférait, dans l'ordre, les films, la vie des animaux, les variétés, la vie d'autres gens et les dramatiques.

Mais on constate des persistances dans ces goûts. Par exemple, une part irréductible de téléspectateurs refuse la vulgarisation scientifique par les médias. Ils étaient, en 1952, 32 % d'auditeurs à vouloir moins d'émissions radiophoniques sur la science [26]. Ce pourcentage monte à 35 % en 1954 et retombe à 20 % en 1961 [27]. Aujourd'hui, il y a 32 % de réfractaires à ce genre d'émission à la télévision [28]. Il semble cependant que les choses soient en train de bouger, puisque l'enquête « Aspirations » du Credoc [29], de janvier 1986, met en évidence, au niveau des souhaits, qui sont parfois, c'est vrai, fort loin des pratiques, que 51 % des personnes interrogées passeraient volontiers une soirée par semaine à s'instruire en regardant la télévision.

Il y a en France une malédiction concernant la télévision éducative. Elle commence en 1952 et connaît son apogée entre 1965 et 1970 avec RTS et RTS-Promotion. Certaines séries furent très suivies, telles que « A mots découverts », ou « Cousons Cousine », série pour laquelle se vendirent deux cent cinquante mille livrets d'accompagnement. Mais à l'époque où le Japon a une chaîne entièrement consacrée à l'éducation, où la BBC a une politique de formation continue qui force l'admiration, nos sondages s'obstinent, pour la plupart, à montrer que les Français ne veulent que de la distraction. On est bien forcé de se demander si c'est véritablement leur caractère frivole qui en est la cause, ou bien si les enquêtes ne constituent pas, à leur insu, la mémoire de l'insouciance de l'après-guerre.

Gardiennage, compagnie, information, distraction, toutes ces fonctions sont gérées selon l'heure et les circonstances familiales par un seul et même appareil qui joue de ce fait au sein de la famille un rôle beaucoup plus complexe qu'il n'y paraît à première vue. De plus en plus de ménages possèdent plus d'un appareil (11 %). Les statistiques ainsi que les études qualitatives montrent l'existence de comportements identiques dans bien des ménages. Ainsi, en 1987, 70 % des postes sont installés dans les livings, 15 % dans les cuisines, et 10 % dans les chambres à coucher [30].

La première régularité mise en évidence par les statistiques est celle de l'heure d'écoute. Dès 1952, les enquêtes sur la radio montraient que la France écoutait la radio à table. Il en est de même pour la télévision, qui maintient rassemblé le groupe familial après dîner. En cela le téléviseur est l'horloge contemporaine qui règle les temps de la vie quotidienne. Le rite de l'heure d'écoute l'emporte sur l'intérêt de l'émission, comme le déclarait cet agriculteur à Jean-Pierre Corbeau, auteur d'une monographie intitulée *Le Village à l'heure de la télé* [31] : « Lorsque nous nous asseyons pour déjeuner ou pour dîner, j'allume le récepteur. Cela crée un peu d'animation. Il ne m'est jamais venu à l'idée d'arrêter le poste parce qu'un programme ne me plaisait pas. Nous regardons ce qu'il y a à regarder; bien sûr, on discute un peu, on fait des commentaires. Si l'émission n'est vraiment pas captivante, nous parlons d'autre chose. Seul le bulletin météorologique est sacré : là, je demande qu'on se taise et qu'on fasse attention; il est important pour nous de connaître les prévisions du lendemain. »

On voit qu'en dehors des fonctions utilitaires énumérées plus haut, le téléviseur assume une fonction symbolique de la plus haute importance. Il met en contact, à heures fixes, les spectateurs avec la société globale. Intentionnellement ou non, les médias pratiquent d'ailleurs la cérémonie du rite. La speakerine annonce le programme de la soirée en le déroulant à l'envers, partant des émissions les plus tardives, pour annoncer enfin, d'un ton gourmand, celle qui suivra dans l'instant. Pendant deux décennies elles sont apparues à l'écran parées comme des fées, célébrant la munificence du spectacle et de la modernité de la société médiatique, établissant une connivence avec chaque téléspectateur. Tout se passait comme si elles conviaient le public à célébrer avec elles – n'oublions pas la parure – le mythe de la veillée du village, macluhanien, mythique lui-même.

Pour de nombreux observateurs, la situation de réception est plus importante pour la famille que le contenu des émissions. Se mettre devant l'écran, c'est entrer en contact avec une sorte de mère nourricière informée de l'état du monde (certains sont allés jusqu'à comparer le flot télévisuel au lait maternel). Les hommes se branchent quel que soit le programme et les femmes confient la garde des enfants à la télévision, un peu comme elles le feraient avec une voisine, mère elle aussi.

La soirée d'écoute est le théâtre d'interactions complexes encore mal connues entre les membres du groupe familial. Jean-Émile Jeannesson a réalisé il y a un certain temps déjà, un film d'observation sur la façon dont deux familles regardaient la télévision le soir dans un groupe de HLM, la Grande-Borne. Il lui fallut sans doute un certain temps, ainsi que beaucoup de tact et de talent pour que son équipe de tournage passe inaperçue dans le living. La famille est réunie, le père, la mère, les enfants dont un adolescent d'apparemment seize dix-sept ans. Le père choisit une émission. Au bout de quelques instants, le jeune garçon se lève et va changer de chaîne, puis se rassied. Le père se lève à son tour et revient au programme précédent. Ce manège se poursuit sans que les autres membres de la famille interviennent dans ce combat hautement symbolique entre le père et le fils. Personne dans le salon n'est conscient de ce qui se passe en fait, qui n'a rien à voir avec l'émission, cette sorte de jeu rituel d'un jeune homme au seuil de l'adolescence qui cherche à s'affirmer par opposition à son père. La famille a vu ce soir-là un étrange « saucissonnage » de diverses émissions. Peu importe; comme tous les soirs, le rite d'être ensemble devant la télévision a été accompli.

Parfois, le contenu de l'émission fait lui-même partie

du rite, plus spécialement en ce qui concerne les feuilletons. Bien des comptes se règlent au niveau symbolique dans les couples qui regardent la série « Dallas ». Quand J.R. gifle Sue-Helen ou bien quand, en sens inverse, Pamela lui dit son fait, nombre de téléspectateurs s'identifient à l'un ou à l'autre. Cette fonction de régulation est sans doute à l'origine du succès de la série, ainsi d'ailleurs que le mythe de la famille élargie qu'elle véhicule [32].

J'avais observé il y a quelques années des enfants de huit-dix ans en train de regarder la série « Goldorak ». Les épisodes avaient toujours la même structure : un personnage sympathique, Actarus, vit tranquillement en famille à la campagne. Pour une raison ou une autre, arrivent dans la région de méchants extra-terrestres qui viennent du Centaure et menacent la terre. Actarus, pressé par les siens, se glisse dans son robot guerrier à l'allure de samouraï, Goldorak, et après une lutte épique dans l'espace, met en fuite les ennemis qui ne manqueront pas de revenir lors de la prochaine émission. Les enfants connaissaient parfaitement l'agencement du récit. Ils étaient particulièrement excités – certains trépignant debout sur leur chaise – lorsqu'ils entendaient la musique, toujours la même, annonçant qu'Actarus allait enfourcher Goldorak. Les jeunes téléspectateurs vérifiaient plus le bon ordre de la séquence du conte qu'ils n'examinaient les péripéties de chaque séquence. Ils cherchaient à tester leurs prédictions sur les phases du mythe et se livraient ainsi à une sorte de lecture rituelle qui n'est pas sans rappeler la façon dont ils écoutent les contes de fées.

Le téléviseur exerce ainsi une multiplicité de fonctions dans la famille. De nombreux auteurs considèrent qu'il joue un rôle non négligeable dans la vie du couple [33]. Dans divers pays, on a proposé à des ménages de passer un mois sans télévision. Dans aucun cas l'expérience n'a pu être menée à son terme. Les statistiques nous indiquent d'ailleurs que les personnes seules sont moins équipées que les couples. L'hypothèse est qu'il est difficile pour deux personnes vivant continuellement entre les quatre murs d'un appartement de meubler toutes les soirées par la seule conversation. Les associations familiales ont noté que la télévision s'était répandue dans tous les pays, quelles que soient les aires culturelles, dans lesquels la politique d'habitat avait favorisé le développement de la famille nucléaire. Dans une enquête récente, 25 % des couples reconnaissent se disputer pour le choix d'une émission, ce qui montre, au moins pour eux, qu'ils ne se résignent pas à passer la soirée à discuter [34]. Le téléviseur apparaît donc comme un régulateur des déséquilibres inhérents à la vie en famille : conflits, sautes d'humeur, silences de l'un ou de l'autre, agressivité refoulée. La logique d'usage lui confère un rôle très différent de celui que lui attribue la sphère technicienne, qui se cantonne à informer et à distraire. L'hypothèse est qu'il est devenu le point nodal des rites ayant trait à l'unité et au temps de la cellule familiale, ce qui expliquerait son inamovibilité.

On constate toutefois une évolution dans la mesure où de plus en plus de personnes (une personne sur deux) ne renoncent plus à une sortie, malgré un programme intéressant à la télévision. Cette évolution est due en partie à l'apparition du magnétoscope.

Un loup dans la bergerie : le magnétoscope

L'arrivée sur le marché, en 1978, des premiers magnétoscopes n'a pas, ainsi qu'on va le voir, modifié fondamentalement cet état de fait. De 1978 à 1983, les ventes augmentent, en France, de 100 % par an. En 1985, 12 % des familles sont équipées, ce qui représente quelque 2 500 000 foyers. A la même époque, les Allemands sont déjà plus équipés – 20 % des foyers – ainsi que les Anglais – 40 %.

Dans l'étude qu'ils ont consacrée à l'usage du magnétoscope, J.-C. Baboulin, J.-P. Gaudin et P. Mallein [35] établissent que les trois quarts des usagers ne se servent de l'appareil que pour l'enregistrement d'émissions, dont 90 % sont des films. L'offre de se servir de l'appareil pour faire soi-même ses films avec un caméscope (caméra vidéo) n'est en effet que peu suivie. En 1984, la vente de magnétoscopes portables, donc reliables à une caméra, ne représente que 7 % du marché avec 31 000 appareils vendus. On retrouve une fois de plus ici une manifestation de cette loi de l'usage des machines à communiquer qui veut que l'usage effectif soit en retrait par rapport à l'offre technologique. On se sert peu, de la même façon, des cassettes son pour faire des reportages, tandis qu'on les utilise pour repiquer des chansons. On a vu précédemment que la même loi avait joué pour les premiers phonographes qui permettaient l'enregistrement et qui perdirent cette capacité car personne ne s'en servait, contredisant ainsi les prophéties de la sphère technicienne.

En conséquence, le marché des cassettes vierges est important : dix millions vendus en 1982 en France. Il en est de même pour celui des cassettes films. Selon H.-J. Dijan, P-DG de Ciné-Club Vidéo, il y a eu en 1986, 42 millions de locations [36]. La baisse des prix de vente tend actuellement à encourager l'achat. Le cinéma pornographique a eu une vogue qui s'est vite éteinte. En 1980, 75 % des cassettes vendues relèvent du genre. Il n'y en a plus que 35 % en 1981 et moins de 30 % en 1982. Il est vrai qu'il ne se renouvelle pas beaucoup, mais il a sans doute contribué à ouvrir le marché en soulignant la fonction érotique que peut jouer l'appareil. Dans le genre érotique, c'est le film *Emmanuelle* qui détient le record des ventes avec 10 000 cassettes vendues [37].

Dans leur livre cité plus haut, consacré à l'usage du magnétoscope, les auteurs relèvent tout d'abord que l'appareil se cantonne dans un rôle secondaire. On n'imagine pas de le dissocier de la télévision et d'en faire l'équivalent d'un projecteur de cinéma, encore que l'on voie apparaître actuellement, dans les agences de location, des magnétoscopes munis de la seule fonction de lecture. Les usagers confirment que l'appareil les rend plus libres de leur temps, car on peut regarder une émission à un autre moment que celui de son émission. Mais les examens des pratiques effectives montrent qu'il y a parfois loin du dire au faire. On constate en effet que bien des émissions enregistrées ne sont jamais regardées, parce qu'on n'en a pas le temps, parce qu'elles ont perdu de leur intérêt. Mais on est rassuré parce que c'est enregistré. Nous retrouvons là un autre trait général de l'usage : l'assurance-enregistrement. Nous avons ainsi rencontré des personnes qui n'écoutent jamais les messages que leur adressent leurs correspondants sur leur répondeur téléphonique. Elles n'ont retenu de cet appareil que la fonction d'assurer une présence, ce qui est demandé bien souvent au téléviseur et au poste de radio. Dans tous ces cas, le contenu importe peu.

Autre exemple, de multiples possesseurs de micro-ordinateurs sont rassurés parce qu'ils possèdent une quantité impressionnante de logiciels dont ils ne se serviront jamais. Mais le fait d'accumuler un capital enregistré confère à l'usager une assurance à l'égard de l'appareil qui compense la difficulté qu'il éprouve souvent à le maîtriser.

Le magnétoscope a pris une place de choix dans le gardiennage automatique des enfants, aux côtés du téléviseur. Plus généralement, l'appareil joue un rôle notable dans la régulation de la vie familiale. Le père se déculpabilise d'un plaisir égoïste – et inavouable – en enregistrant pour ses enfants le dessin animé qu'il regarde. Le magnétoscope autorise un étalement des temps d'écoute, tantôt solitaires, tantôt collectifs, qui supprime bien des conflits quant au choix d'une émission. Pour Baboulin, Gaudin et Mallein [38], le succès du magnétoscope va de pair avec l'émergence de ce qu'ils appellent un hédonisme rationnel : il n'est pas honteux de regarder seul une cassette, pas plus que de faire du jogging ou de se servir d'un walkman.

Ils relèvent enfin l'apparition de clubs, de réseaux d'échange de cassettes et notent la ressemblance avec les cabinets de lecture du début du XIXe siècle, qui permettaient la consultation d'ouvrages divers à ceux qui ne pouvaient se les offrir. On verra plus loin que le même phénomène se constate dans le domaine de la micro-informatique. On peut se demander si cette pratique n'est qu'une démarche purement fonctionnelle pour accroître le parc de matériel accessible. N'y a-t-il pas là une volonté de maintenir en état ou de revivifier le lien social, en mettant au goût du jour des pratiques ancestrales de troc et de marché?

Dans la famille proprement dite, le magnétoscope permet de se désolidariser des pratiques rituelles. Le lien social de don et de contre-don, manifesté par l'enregistrement pour autrui et l'échange de cassettes, compense alors l'usage solitaire qu'il permet.

VII

Les appareils désenchantés

Dans ce chapitre se trouvent réunis l'équipement le plus ancien, le téléphone, et les appareils les plus récents : micro-ordinateurs et Minitels. Contrairement aux machines considérées dans le chapitre précédent, ils voient évoluer leurs usages. Certes, le téléphone a mis très longtemps à connaître un usage fonctionnel, en France tout au moins. Il a fini par le trouver dans les vingt dernières années. Les choses sont allées beaucoup plus vite pour les deux autres. Il est vrai que l'ordinateur a connu sa période magique, au moment où, vers 1979, a été avancé le concept d'ordinateur personnel. Tout semblait alors possible grâce à lui : s'éduquer, gérer ses amis aussi bien que ses comptes, se documenter sans fin. Le discours prophétique de la sphère technicienne avait laissé des traces. Puis l'expérience a fait déchanter [1]. La machine n'était pas si facile que ça à utiliser et son universalité d'emploi, telle qu'elle était affirmée, suscitait à l'usage quelques doutes. La participation requise de l'usager est en effet beaucoup plus importante ici que pour se servir d'un téléviseur ou d'un magnétoscope.

Le Minitel était prévu pour la consultation de banques de données. L'usage a répondu à cette offre par l'utilisation massive de messageries, qui révèlent ainsi un besoin latent considérable d'échanges de toutes sortes entre les personnes.

Des mythes en sous-tendent l'emploi, mais, contrairement aux précédents, ils semblent plus moteurs que stabilisateurs. De fétiches qu'elles étaient, ces machines deviennent instruments pour une découverte empirique du monde. Leur désenchantement est en cours.

Le téléphone : cent ans d'adolescence

Le téléphone se développa rapidement, dès son invention, aux États-Unis, en Europe et en France, mais ce ne fut pas pour faciliter la communication avec les sourds, ce qui était, on s'en souvient, le projet de Graham Bell et la motivation de Thomas Edison. On installa en France, à partir de 1880, deux dispositifs différents : le système Gower et le système Edison. Le premier central Gower, à la mise au point duquel contribua Clément Ader, fut installé quelque temps après, en 1880, au 45, avenue de l'Opéra. Lorsque les abonnés appelaient les opératrices, un petit volet s'ouvrait alors sur le panneau du central et dévoilait le nom du demandeur. Elles disposaient d'une manette, qu'elles agitaient pour avertir l'abonné demandé, puis établissaient la liaison. La comtesse de Pange raconte dans ses souvenirs : « J'entendais de ma chambre la sonnerie et d'étranges appels, de sonorité si exotique : Allô! Allô! que ma mère s'efforçait de prononcer à l'anglaise... La demande était directe et c'était de continuelles batailles avec les " Demoiselles du téléphone "... Allô! Allô! Mademoiselle! Vous m'entendez? – M'entendez-vous? – Répondez donc, voyons, Mademoiselle! – Allô! Allô! – Si vous devenez insolente, Mademoiselle, je vais faire une plainte! Allô! Donnez-moi la marquise de Luppé, 29, rue Barbet-de-Jouy – Allô! – Oui, Luppé, avec deux P. C'est bien ça! Allô!... Et après une demi-heure d'énervement et de discussions, on vous branchait sur le Foyer de l'Opéra ou la Morgue [2]! »

Les deux sociétés pionnières, qui diffusaient les

systèmes Gower et Edison, fusionnèrent et fondèrent, le 10 décembre 1880, la Société générale des téléphones. Le nombre d'installations n'est pas très élevé à Paris, guère plus dans toute la province. Le président de la République, Jules Grévy, n'y croyait pas non plus. Pour faire de la publicité, l'administration des Postes et Téléphones décida d'un programme de démonstration lors de l'Exposition électrique de 1881, au cours duquel on entendit pour la première fois la transmission stéréophonique de l'Opéra (invention que l'on doit à Clément Ader).

En 1888, la nouvelle firme, de droit privé, équipe Lyon, Saint-Étienne et Angoulême. L'abonnement est de six cents francs à Paris et de quatre cents francs en province, ce qui fait environ dix mille et huit mille francs de nos jours. Il s'adresse donc à une clientèle très aisée, essentiellement particulière, puisque le commerce n'y croit pas. Les premières liaisons interurbaines sont établies, en 1882, entre Rouen et Le Havre et, l'année suivante, entre Paris, Reims, Lille, Roubaix et Tourcoing. La première liaison internationale est ouverte le 24 février 1887 entre Paris et Bruxelles.

A partir de 1882, la Société générale du téléphone obtient de l'État l'autorisation de desservir deux abonnés d'un même immeuble par une seule ligne. En 1883, les compagnies de chemin de fer adoptent le téléphone pour relier les gares et annoncer les trains, tout en conservant le télégraphe. Théodore du Moncel est l'inspirateur de la nationalisation du téléphone, qui est décidée par le Parlement en 1889.

Le tableau ci-après retrace l'évolution de l'installation des combinés en France et dans le monde, jusqu'à la nationalisation [3]. Le démarrage et la progression sont très rapides aux États-Unis, car les Américains comprennent tout de suite, contrairement aux Français, l'intérêt du téléphone pour la conquête de l'Ouest et pour le commerce. En France, on observe un ralentissement à partir de 1885. Les Français n'y croient pas. Jules Grévy refuse que l'on équipe son

bureau et Clément Ader doit attendre l'une de ses absences pour le faire. La comtesse de Pange confirme qu'à l'époque le téléphone n'était pas considéré comme utile pour traiter des affaires sérieuses. « On considérait, dit-elle, le téléphone comme une invention de luxe ne pouvant convenir qu'aux bavardages de dames et personne n'y attachait d'importance [4]. »

Avant la fin du siècle, les premiers centraux automatiques apparaissent aux États-Unis. L'Europe en reste aux centraux manuels. Les premiers centraux automatiques ne seront installés en France qu'en 1912 à Orléans et à Nice. Cela signifie, en termes d'usage, qu'il n'y a pas suffisamment de trafic pour que les centraux manuels soient saturés. Le téléphone a d'ailleurs mauvaise presse. Lisons ce qu'en dit *Le Parisien de Paris* en 1897 : « Il est devenu notoire qu'il est la plupart du temps plus simple de prendre l'omnibus ou d'envoyer pédestrement le commissionnaire du coin porteur d'un message, que de communiquer par fil. L'enfant de l'Auvergne, de son pas lourd et malgré les stations qu'il pourra faire chez le troquet du coin, arrivera encore bon premier. »

Année	États-Unis	Europe	Autre pays	France
1877	2 600	0	0	0
1878	9 300	50	0	0
1879	16 000	1 000	0	0
1880	31 000	1 900	0	0
1881	47 900	5 600	2 200	800
1882	71 400	13 400	3 000	2 107
1883	97 700	25 000	5 400	3 575
1884	123 600	39 000	9 500	4 739
1885	147 700	58 000	11 800	5 127
1886	155 800	77 000	14 300	5 789
1887	167 100	99 000	17 100	6 558
1888	180 700	122 000	23 300	7 505
1889	195 000	150 000	26 500	8 205
1890	211 500	177 000	31 500	9 129
				12 141

Source : Joseph Libois, *op. cit.*

ÉVOLUTION DU NOMBRE DE POSTES TÉLÉPHONIQUES
DE TOUTE NATURE

Pays	1921	1923	1925	1927	1929	1930	1931	1933	1935	1937	1938
Allemagne	100	115,2	133,3	144,9	163,5	166,4	159,1	150,6	167,1	185,6	212,7
Belgique	100	141,7	197,4	244,3	324	368,3	377,2	400	427,8	496,2	531,6
Danemark	100	108,2	117,2	120,2	126,2	130,7	135,2	125,6	144,9	156,9	163,2
États-Unis	100	110,7	122	133,4	144,6	145,5	141,9		125,5	140,1	143,8
France	100	118,4	144,9	174,2	209,2	229	243,9	268	286,5	308,9	316,5
Grande-Bretagne	100	116,4	139,4	164,1	189	196	204,5	229,2	255,9	303,3	322
Italie	100	113,7	135,3	251,7	328,4	369,8	402,5	353,7		477,5	511,2
Japon	100	106,4	136,1	165,5	213,5	221,7	226,9	234,8	278,4	321,2	337,3
Norvège	100	105,8	109,7	115,5	170,1	121,4	123,3		129,2	140,9	149,3
Pays-Bas	100	109,6	121,5	135,2	159,6	172,1	182,9	193,1	205,6	226,7	244,3
Suède	100	103,2	111,7	119,8	131	140	146,5	154,7	168,6	194,8	211,7
Suisse	100	111,2	123,7	139,3	167,5	183,7	200	223,7	246,2	265,6	277,5

Source : Joseph Libois, *op. cit.*

ÉVOLUTION EN FRANCE ET DANS LE MONDE, DES ORIGINES À LA NATIONALISATION

Au pays de La Fontaine et du « 22 à Asnières », le public préféra longtemps la tortue au lièvre. La guerre de 14, au cours de laquelle on utilisa le téléphone de campagne, persuada enfin la gent masculine que l'invention pouvait avoir un rôle fonctionnel – transmettre des ordres, des informations – et pas seulement relationnel. Mais cette prise de conscience ne se fit jamais que trente-sept ans plus tard aux États-Unis. En 1920, l'équipement fit un bond (tableau ci-dessus). L'indice d'évolution du parc de postes téléphoniques évolue en effet en France de 100 en 1921 à 316,5 en 1938. Il y eut un ralentissement à partir de 1934 qui empêcha la France d'atteindre la croissance de la Belgique (indice 531,6) et de l'Italie (indice 511,2). La progression américaine est moins rapide, mais elle prolonge un mouvement antérieur d'amplitude considérable.

On assista alors en France à une curieuse inversion des normes d'usage. Au début du XXe siècle, l'équipement concernait essentiellement les particuliers. Soixante-dix ans plus tard, il ne les intéresse plus. Il y a lieu de comprendre d'où vient cette désaffection.

En 1956, le tiers des abonnés est parisien. A partir de 1960, la demande s'intensifie aussi bien en provenance des entreprises que des particuliers. Les gens sont appelés à changer de lieu d'habitation en fonction de l'emploi qu'ils occupent et leur famille se disperse. Pour Christian Pinaud [5], auteur d'une remarquable étude sur l'usage du téléphone, la cause principale de l'accroissement de la demande des particuliers est d'ordre affectif : maintenir des relations avec ses membres. Mais le cumul des raccordements en instance venant des entreprises et des particuliers équivaut au début des années 60 à plus de 10 % du parc installé. Les PTT ne peuvent faire face et la durée moyenne d'attente s'accroît considérablement pour culminer, en 1974, à 16,4 mois pour obtenir un abonnement, les plus mal nantis devant patienter jusqu'à huit ans. La progression est très lente et la demande se lasse. L'équipement des ménages passe de 16,6 % en 1969 [6] à 25 % en 1974 [7], ce dernier chiffre représentant environ cinq millions d'abonnés. Il y a donc 75 % des ménages qui ne sont pas équipés. Contrairement à ce que l'on pourrait attendre, les PTT n'enregistrent que 4 % des demandes d'installation, sur les 75 %. Une enquête de l'époque montre que 7 % de cette population non équipée a l'intention de faire une demande, mais 64 % déclarent ne pas être intéressés par le téléphone. Les Français se sont arrangés autrement, s'étant résignés à l'idée qu'avoir le téléphone était chose impossible.

A partir de 1975, les choses changent. La création d'un service de marketing à la Direction générale des télécommunications en 1970 commence à faire sentir ses effets, même si les ingénieurs imposent encore le combiné gris et austère, alors que le goût de la clientèle s'oriente vers des combinés gais et multicolores. Le délai d'obtention d'une installation décroît rapidement pour tomber à une moyenne de trois mois en 1981. Du coup, il n'y a plus, en cette même année, que 21 % des ménages, au lieu des 64 % de 1974, qui disent ne pas être intéressés par le téléphone [8]. 40 % des ménages ont ainsi changé d'attitude en sept ans. De 1974 à 1981, la couverture des professions libérales passe de 70 à 93 %, celle des ouvriers de 10 à 58 % [9]. Mais les volumes de communication sont très différents. La consommation bimestrielle des ouvriers et inactifs croît de 12 % entre 1977 et 1981, alors qu'elle augmente de 28 % pour les professions libérales [10]. L'équipement des inactifs bondit de 18 à 66 %. Parmi ces derniers se trouvent des ménages qui étaient équipés et conservent leur abonnement en prenant leur retraite. Chez les personnes âgées, exonérées d'abonnement depuis 1977 par le président Giscard d'Estaing, le téléphone apparaît désormais comme un instrument qui contribue à la sécurité, car il permet d'appeler les voisins ou le médecin. Mais la mutation de la norme d'usage s'opère, selon Christian Pinaud, chez les agriculteurs. Eux qui avaient longtemps renâclé sautent de 20 à 77,5 %, mais, s'ils s'équipent, ce n'est pas pour des communications relationnelles. Quand on veut entretenir une relation à la campagne, on se déplace. Le téléphone est outil de travail, on sait ce qu'on va dire.

De façon générale, l'usage fonctionnel du téléphone a encore progressé, même si, en 1983, 55 % des appels ont encore un caractère relationnel. On connaît également mieux, par exemple avec l'enquête de N. Curien et P. Perrin, les fonctions qu'attribuent les usagers au téléphone. Il sert au maximum pour la prise de rendez-vous, les affaires urgentes et la demande de renseignements. On règle presque autant de problèmes, on organise presque autant d'activités par téléphone qu'en se déplaçant. Même les commandes et les réservations téléphoniques l'emportent sur le courrier et la visite au magasin ou à l'agence de voyages [11].

La région parisienne a un taux d'équipement qui croît plus vite que ceux des autres régions. On peut y voir l'influence déterminante de la banlieue : en effet, les problèmes de transport, de rythme de vie et de renseignements administratifs y sont très importants. Là aussi, il a fallu que les usagers ne considèrent plus seulement le téléphone comme un outil relationnel, mais comme un instrument de travail, ce qui n'était pas encore le cas dix ans auparavant. Nicole Arnal et Emmanuel Willemin [12] constatent sur la période 1974-1981 que la courbe d'équipement en téléphones est parallèle à celle de l'achat de téléviseurs couleur. Examinant les politiques d'achat des ménages, ils remarquent que les biens durables achetés en premier sont, pour la période de référence, le réfrigérateur et le téléviseur noir et blanc. Viennent ensuite, en 1975, la machine à laver ainsi que l'automobile, ces quatre types de biens constituant l'équipement standard de l'époque. Le téléphone ne vient qu'en cinquième position, précédant toutefois la télévision couleur, le lave-vaisselle et le congélateur. A partir de 1980 la position du téléphone change et vient en quatrième position [13], le choix s'effectuant presque aussi souvent, précisent les auteurs, en faveur du téléphone que de la voiture. L'hypothèse est ici qu'il y a eu alors intégration dans la culture technique des usagers du rôle substitutif que peut jouer le téléphone par rapport aux déplacements physiques effectifs. Il semble bien que se soit créée entre 1975 et 1980, en France, la norme d'usage du téléphone pour le service, alors que précédemment elle ne fonctionnait que dans la sphère affective, norme que l'on retrouve aujourd'hui dans l'usage du Minitel pour les messageries conviviales.

Dans l'entreprise, les usages du téléphone correspondent également à des normes strictes. Les employés trouvent impoli (P. Beaud et P. Flichy [14]) d'appeler les cadres. Ils appellent en revanche volontiers leurs collègues de même rang. Dans l'étude en référence, 55 % des communications sont de ce type à l'intérieur de l'entreprise, et 51 % à l'extérieur. Les cadres supérieurs se permettent en revanche d'appeler tous les services. Un comportement similaire existe chez les enfants qui appellent volontiers leurs pairs mais ne téléphonent pas « naturellement » à leurs parents, directs ou collatéraux.

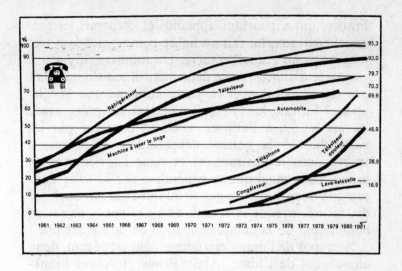

Extrait de Nicole Arnal et Emmanuel Willemin, *op. cit., Revue française des télécommunications,* n° 42, janvier 1982.

ÉVOLUTION DES ACHATS DES MÉNAGES
EN BIENS D'ÉQUIPEMENT

Ceux à qui Jean-François Boudinot et moi-même demandons en 1983 [15], ce qu'ils désirent savoir au sujet du téléphone se révèlent très intéressés par ce qui peut se substituer au téléphone ou le perfectionner : l'ordinateur peut-il remplacer le Bottin? Le talkie-walkie et le radar, le téléphone? Ils proposent de nouvelles combinaisons : des « cadrans » pour voir l'interlocuteur, des téléphones sans numéro, des téléphones sans fil, propositions dont la naïveté rappelle qu'ils débarquent dans un monde dont ils ignorent l'histoire technologique. Mais cela dénote aussi l'apparition dans leur culture de classes d'équivalence et de possibilités de combinaisons des dispositifs de communication que n'avait pas la génération précédente.

Le cas du téléphone montre de façon très éclairante l'écart qui sépare la logique de l'inventeur de celle des usagers. L'invention naît dans un contexte qui est celui de la prothèse. Dès sa mise au point, elle trouve sa place dans le milieu américain des affaires. La

France, qui a pourtant applaudi et construit les premiers centraux, lui fait en fin de compte pendant très longtemps un accueil réservé. Un ministre, il y a une vingtaine d'années, ne se demandait-il pas s'il ne valait pas mieux développer la poste aérienne que le téléphone? En fait, les Français n'étaient pas prêts, avant les années 60, à l'utiliser. D'abord consacré par les particuliers à la gestion des relations affectives, il trouve dans les entreprises et dans l'agriculture un usage fonctionnel qui se généralise par la suite dans presque tous les ménages – aujourd'hui un seul sur dix refuse, irréductiblement, de s'équiper –, en raison notamment de la complexification de la vie urbaine.

A propos de l'usage relationnel, qui est récent, deux chercheurs de l'Idate, Alain Briole et Adam Frank-Tyar [16] tirent de remarquables enseignements de leur étude de la pratique du « réseau ». Le nombre d'appels y est de mille par jour et chacun dure en moyenne un quart d'heure. La clientèle est principalement masculine et la durée déjà longue de l'expérience permet de constater que les plus mordus se raccrochent périodiquement au réseau pendant un temps qui n'excède pas trois ans. Les partenaires échangent des informations sur eux-mêmes, sur le dispositif technique qui les relie et cherche évidemment à percer l'identité de leur interlocuteur, qui se cache sous un pseudonyme. Dans le « réseau » ne fonctionnent en effet, comme dans toute machine à communiquer, que des simulacres. Les auteurs notent que ces appels visent moins la communication réelle que ce qu'ils appellent fort éloquemment l'approche du congénère. Cette attitude se retrouve ailleurs, chez les radioamateurs et chez les cibistes, pour lesquels l'acte fondamental est d'atteindre un nouvel interlocuteur. On cherche la rencontre de l'autre, principalement à des fins amoureuses, on cherche à l'entraîner sur une ligne privée grâce à laquelle pourront avoir lieu des échanges plus intimes, on provoque, enfin, pour faire part de son malaise à la communauté d'écoute par le recours à l'obscénité et à l'injure. Si la sexualité est dominante, le travail, les relations sociales et les loisirs sont évoqués également.

Mais Briole et Tyar ne reconnaissent pas là les caractéristiques d'une « communauté câblée » et voient dans l'usage effectif de ce réseau la manifestation d'une sociabilité faible, sorte de reconquête, sous forme téléphonique, d'espaces de rencontre que l'on trouvait jadis dans les cafés, la drague, ou les conversations chez les commerçants.

Le moteur de l'usage du réseau correspond pour ces auteurs, comme pour nous, à une tentative pour réguler de multiples déséquilibres : désir et manque, imperfection de l'être, perte et abandon, vide existentiel ou bien trop-plein, qui conduisent à la recherche – ils citent le cas de la vie en couple – de nouveaux espaces de liberté, perte d'emploi enfin. L'intérêt fondamental de cette liste réside dans l'analyse des conversations dont elle résulte : « Graves ou superficielles, les situations des téléconvives sont toujours marquées par l'instabilité. Pour d'autres encore, c'est la solitude, l'absence d'inscription sociale ou sa brusque disparition qui marquent l'époque de la téléconvivialité : divorce, disparition; mais, qu'elle soit problématique, ou bien vécue, c'est toujours la forme du détachement, de l'absence de lien : passage, mutation, rupture : les téléconvives dérivent. Du travail, la même impression de malaise se dégagera. On trouvera rarement des interlocuteurs qui valorisent leur activité professionnelle. Là encore, rien de forcément grave, seulement l'ennui du quotidien [17]... »

Dans la préface qu'il a écrite pour cet ouvrage, Pierre Tap note une évolution de l'usage vers ce qu'il appelle un type dionysiaque. Dionysos, dit-il, personnalise l'affirmation de soi par des procédés irrationnels, danse, délire, tumulte des passions, auxquels il faut ajouter le recours à des technologies telles que celle du « réseau ». Cela rappelle l'usager du magnétoscope, décrit plus haut comme un hédoniste rationnel : les nouvelles technologies auxquelles il convient d'ajouter le walkman aussi bien que le jogging ont comme trait commun de permettre un plaisir individuel déculpabilisé [18], d'autant plus d'ailleurs qu'il est anonyme.

Le désir d'immédiateté est favorisé par les machines à communiquer qui permettent un « retour » rapide, voire instantané. Mais en sont-elles la cause, ou bien le moyen? Certains y voient la manifestation d'une régression à l'état infantile [19]. Deux hypothèses seraient à examiner :

— La société est dans un processus général de régression qui favorise l'émergence de machines permettant l'exercice individuel, payé de retour immédiat.

— Ces machines ont été développées par des inventeurs qui recherchent l'instantanéité. Leur démultiplication favoriserait alors cet état régressif, contrairement aux technologies antérieures qui ont des modes de fonctionnement que l'on pourrait qualifier de vivifiants.

Ordinateurs et Minitels : de la culture exhaustive à la messagerie utilitaire

Il n'est pas facile de décider à l'heure actuelle si l'on doit examiner séparément informatique et télématique. La seconde est dans la filiation directe de la première : les procédures de traitement sont analogues et il est prématuré d'affirmer que les usagers les distinguent bien l'une de l'autre. Aussi seront-elles ici examinées conjointement.

Contrairement aux technologies précédemment examinées, on dispose d'un moindre recul pour examiner les usages de l'ordinateur et, surtout, ceux, dans la situation actuelle, du Minitel et de la télématique. De plus, l'ensemble des activités techniques que désignent ces deux termes n'entrent pas dans le champ d'analyse. Il ne s'agit ici que des emplois pour la communication, au sens où on l'entend ici : produire des simulacres pour régler des déséquilibres.

Il est de ce point de vue particulièrement difficile de voir clair, car l'informatique a suscité un mouvement incantatoire d'une amplitude analogue à celle que suscita le télégraphe au siècle dernier. Pendant de nombreuses années, l'ordinateur fit naître dans le public des espoirs fous ainsi que des craintes irraisonnées.

Des croyances solides se sont établies, comme, par exemple, celle qu'un ordinateur peut traduire d'une langue dans une autre ou encore qu'on apprend mieux en recourant à une machine qu'à un professeur. A l'inverse, la machine suscite la peur que s'établisse un contrôle permanent des activités. Les quelques auteurs qui ont tenté de rétablir une vision plus exacte de la réalité, tels Joseph Weizenbaum [20], Hubert Dreyfus [21] ou Bruno Lussato [22], ont été considérés comme des empêcheurs de danser en rond. Aussi ce qui suit n'a-t-il aucune prétention à refléter l'état de la question dans sa totalité. Quelques cas précis permettront sans doute de se faire une idée sur le sujet. Deux enquêtes récentes fournissent des indications importantes sur les représentations et les usages de l'informatique : l'une a été réalisée par le Centre d'études d'opinion pour le compte de l'Agence de l'informatique [23]. Elle explore les représentations que les Français se font de l'informatique. Elle a comporté quatre vagues successives : novembre 1982 (1 029 répondants), juin 1983 (990 répondants), novembre 1983 (960 répondants) et juin 1984 (1 051 répondants). Elle distingue les jeunes de huit à quatorze ans et les adultes. La seconde enquête a été réalisée par l'Institut national de la consommation et concerne les achats et les pratiques du micro-ordinateur familial [24].

Pour les adultes, les utilisations les plus fréquentes de l'ordinateur consistent à faire des calculs (88 %), répondre à des questions (83 %) et résoudre des problèmes (79 %). L'enquête note une progression constante des fonctions de jeu et d'apprentissage : de 61 à 71 % et de 56 à 62 %. Ce dernier constat vaut également pour les jeunes, qui ont par ailleurs les mêmes représentations sur les usages principaux : répondre à des questions (82 %), faire des calculs (81 %) et résoudre des problèmes (74 %).

Toujours, selon les adultes, l'ordinateur fait gagner du temps et facilite le travail, mais il n'en atténue pas la monotonie et risque d'avoir des conséquences fâcheuses pour l'emploi. L'enquête montre que la conscience de l'efficacité pratique des ordinateurs et des changements qu'ils provoquent dépend de l'âge des répondants et que le statut socio-économique et culturel influe sur la perception des effets de l'informatique sur le travail et l'emploi. Les personnes de statut socioculturel élevé et les cadres supérieurs manifestent à l'évidence moins d'inquiétude que les autres.

La seconde enquête confirme les résultats de la première en les détaillant : les personnes qui achètent le plus d'ordinateurs personnels appartiennent à des professions libérales, cadres supérieurs ou cadres moyens. Une opposition très nette se révèle dans les usages entre les ordinateurs haut de gamme et les ordinateurs bas de gamme : les premiers disposent d'une mémoire importante et gèrent des logiciels évolués, tandis que les seconds, de mémoire réduite, se contentent de programmes plus rudimentaires. Les possesseurs des premiers sont en général des gens qui se servent aussi de l'ordinateur dans leur travail et tirent satisfaction de leur achat. Les possesseurs des seconds ont acheté ce matériel pour s'initier et ils sont en général déçus par la limite de ses performances. Les hommes s'en servent beaucoup plus que les femmes (71 % contre 28 %). Dans 16 % des familles, un enfant de moins de huit ans s'en sert. Dans 34 % des cas, cet enfant a de huit à quatorze ans. Dans 30 % des cas, il a plus de quatorze ans. On constate un intérêt croissant pour la micro-informatique de la part des personnes de cinquante ans et plus. 10 % des utilisateurs n'écrivent jamais de programmes, 15 %, très peu, 54 % plus de cinq et 30 % plus de quinze. Les usages sont d'abord les jeux (61 %) puis la construction de programmes (59 %), les programmes éducatifs et autres emplois venant bien loin derrière (41 % et moins).

L'âge constitue un clivage important autour de la charnière de trente-cinq ans. Parmi le groupe des

« ouvriers et employés », les plus grands utilisateurs de l'ordinateur domestique ont moins de trente-cinq ans et ont fait des études techniques ou supérieures : ce sont sans doute des « déclassés » professionnels qui compensent à domicile la mauvaise utilisation de leurs capacités, ou qui espèrent acquérir une requalification. A l'inverse, parmi le groupe des « cadres et professions libérales », les plus grands usagers de l'ordinateur sont plus fréquents chez les plus de trente-cinq ans et chez ceux qui n'ont pas fait d'études supérieures : sans doute des cadres autodidactes voulant consolider leur promotion sociale.

Les logiciels de traitement de texte représentent 14 % du montant global des ventes de logiciels. Ils ne sont dépassés que par les tableurs, qui en représentent 15 %. On propose aujourd'hui des ateliers de micro-édition *(desktop publishing)* qui sont composés d'un micro-ordinateur disposant de fonctions élaborées de composition et d'une large palette de polices de caractères ainsi que d'une imprimante laser qui exécute une impression de grande qualité. Les entreprises américaines ont déjà acheté soixante-quinze mille ensembles de telles installations. De nombreux genres de documents, sauf peut-être – et encore! – la correspondance amoureuse, relèvent désormais du traitement de texte : la littérature des chercheurs, les textes d'entreprise, et aussi les tracts d'associations. Dans une classe où des élèves de CE 2 s'exerçaient à l'emploi de Mac Write sur Macintosh, certains nous déclarèrent s'étonner parce que le texte produit était beau même s'il n'était pas bon. L'enquête de 1984 du CEO sur les Français et l'informatique montre que l'analogie de l'ordinateur avec une machine de bureau a recueilli une adhésion croissante dans le temps, au cours des quatre vagues successives d'enquêtes : 62 % sont plutôt d'accord avec cette analogie en moyenne pour les trois premières vagues et 66 % le sont lors de la quatrième.

Le traitement de texte est une des facettes importantes de la bureautique. Les études qui ont été menées auprès des utilisateurs montrent qu'il existe un grand écart entre le projet qui se réfère aux potentialités des machines et la réalité des usages constatés. Du côté du « rose », pour emprunter une distinction à Pascal Petit [25], la bureautique permet encore, parce qu'elle est dans une phase d'essor, une réelle mobilité sociale. La dactylo qui pratique le traitement de texte, remarque-t-il, ne peut pas devenir secrétaire, mais elle peut devenir monitrice de cette technique. Du côté du « noir », il y a d'abord le fait que les systèmes de traitement de texte ne sont pas utilisés à leur plein rendement, et cela pour deux raisons : la formation est insuffisante et avec le manque de réflexion ergonomique, l'usager profane a beaucoup de mal à s'en servir. Le second frein provient de ce que l'entreprise ne se modifie pas en fonction de ce que permettrait l'outil. Chacun, dans un laboratoire ou dans une entreprise, peut taper désormais ses propres textes, ce qui se fait couramment dans la presse. Les secrétaires peuvent ainsi dégager du temps pour entreprendre d'autres activités aussi utiles qu'intéressantes, telles que la documentation où l'élaboration de bases de données. On observe une résistance générale à cette évolution, de la part des uns et des autres, ce qui signifie que le modèle taylorien a encore de bien beaux jours devant lui...

La logique de l'usage ne fonctionne pas toujours dans le sens du mieux-être, car, fondée sur un ensemble de normes, elle est héritière de lourdeurs et de positions conservatrices. En pareil cas, elle engendre des résistances. Le refus des typographes de passer de la fonte des caractères en plomb à l'informatique en fut un bon exemple. Mais il lui arrive aussi, en sens contraire, d'être génératrice d'innovation. C'est le cas actuellement dans les métiers de l'audiovisuel.

La composition d'images

Dans les dix dernières années, l'informatique a considérablement pénétré le domaine de la production d'images, ce qui n'était pas évident à pronostiquer, puisque l'une procède d'une démarche analytique et l'autre d'une démarche globale. Toujours est-il que l'on a vu les gens d'images adopter l'informatique dans de nombreuses activités. Tout d'abord les constructeurs d'appareils-photo ont embarqué des microprocesseurs dans les appareils de prises de vue, d'abord pour le calcul automatique de l'exposition et de la vitesse d'obturation, puis pour l'ensemble du fonctionnement de l'appareil, ce qui a donné le « compact », plébiscité, on l'a vu, par les usagers.

Les professionnels du cinéma ont adopté très rapidement la caméra contrôlée par ordinateur. Dans cet appareil, chaque photogramme est identifié par un code spécifique, ce qui permet de le rechercher pour le positionner plusieurs fois de suite devant l'objectif. Grâce à cela on obtient des surimpressions multiples de grande précision. Steven Spielberg et George Lucas doivent à cet appareil des trucages extraordinaires qui ont fait le succès de leurs films.

Les gens de la télévision s'y sont mis également. Le montage des bandes vidéo a été très vite informatisé car le support magnétique s'y prête bien. Puis ce furent les régies, qui traitent aujourd'hui une image digitalisée, ce qui leur permet trucages et manipulations diverses. Dans le même temps, l'image de synthèse faisait des progrès considérables et les sociétés de production mettaient au point divers systèmes qui permettent de construire des images à trois dimensions. Il ne faut pas oublier dans cette énumération les palettes graphiques, appareils qui permettent à un artiste de dessiner et de choisir des couleurs dont on voit immédiatement le résultat sur un écran vidéo. Une caméra associée au dispositif permet d'enregistrer des images que l'on peut modifier une fois qu'elles sont digitalisées.

La pénétration de l'informatique dans l'audiovisuel ne s'est pas faite sans difficulté. Le personnel de production – les monteuses, en particulier – s'est vu confronté à des changements radicaux de travail sans

187

formation suffisante. Une monteuse de film était en effet habituée à manipuler et à regarder chaque photogramme, à découper des morceaux de film et à les recoller. Avec le montage vidéo, plus rien de tout cela. On ne manipule que des codes d'identification par clavier interposé. Néanmoins, en moins de dix ans la profession audiovisuelle s'est informatisée. L'ordinateur a constitué un lien entre les diverses activités de production, notamment par l'image digitalisée. Mais il a conduit aussi à une diversification et à une spécialisation accentuées des unités de post-production qui travaillent sur un effet déterminé.

Les handicapés

Si l'informatique a trouvé un sens, c'est bien dans le domaine de la construction de prothèses pour les handicapés. Il n'est pas question ici de la robotique qui a permis la réalisation de dispositifs qui aident les paraplégiques ou paralytiques totaux à effectuer de nombreux actes de la vie quotidienne qu'ils ne pourraient effectuer autrement. Il s'agit véritablement de l'ordinateur pour la communication. Deux exemples suffisent à souligner la pertinence de l'ordinateur en la matière. La commande des ordinateurs contemporains s'effectue, entre autres, par le cochage d'icônes sur un écran. On appelle ainsi de petites images qui représentent symboliquement un fichier ou un logiciel. Grâce à une « souris », on choisit sur l'écran l'icône du programme que l'on veut déclencher. Il suffit d'appuyer sur le bouton de la « souris » et tout est fait pour que l'ordinateur exécute la commande. Ce moyen de communication a été mis au service d'enfants infirmes moteurs cérébraux, ce qui leur permet d'accéder à des connaissances qu'ils ne pourraient obtenir autrement. La communication avec ces personnes se fait dans le quotidien par ordinateur interposé.

Un chercheur du Cnam, Dominique Weygand [26], a fait pour les non-voyants de remarquables réalisations.

Atteint lui-même de cécité, il a construit un appareil qui lui permet de lire avec les doigts les informations qui sortent par ailleurs sur l'écran d'un ordinateur. Le principe est simple : des petites barrettes en plastique émergent verticalement d'un boîtier, agencées en configurations de caractères Braille. Les touches du micro-ordinateur sont elles aussi dotées de pastilles qui permettent la frappe. Cet appareil est connecté à un ordinateur portatif de faible poids. Cela permet à l'aveugle de transporter partout son appareil pour prendre et lire des notes. Cela lui permet aussi de correspondre avec ceux qui voient par le moyen de logiciels de traitement de texte. La frappe et la correction se font en Braille, l'impression définitive, en clair.

L'intérêt du dispositif réside dans le fait que c'est un handicapé qui a conçu et réalisé le dispositif. Même s'il lui a fallu des compétences techniques, c'est bien ici l'usager qui a défini le projet d'usage, détournant l'ordinateur de sa destination vers les voyants pour l'adapter à la communication avec ceux qui sont privés de cette faculté.

L'informatique pédagogique

L'objectif initial de l'introduction de l'informatique à l'école était de familiariser les jeunes avec l'ordinateur dans les différentes disciplines enseignées. L'objectif principal n'était donc pas la communication. Mais l'évolution d'usage a pu être observée pendant dix ans, dans ce qu'il a été convenu d'appeler l'« expérience des 58 lycées ». Mise en place à la suite du Colloque de Sèvres, organisée par l'OCDE en 1971, elle s'est achevée en 1980. Elle a concerné cinq cents professeurs. Le budget de l'opération a permis, outre l'équipement, des activités de formation continue et d'animation. Il a été constaté que toutes les disciplines, sur la durée, s'étaient diversement intéressées à la question et que certaines, comme les mathématiques, avaient progressivement abandonné le terrain, alors que les lettres, les sciences naturelles et la physique montraient un dynamisme réel. Cependant, il faut souligner que la grande majorité des enseignants étaient des volontaires.

Un des résultats les plus significatifs de l'opération de clubs informatiques situés près de l'école, c'est que ces clubs n'étaient pas prévus au départ. Et lorsqu'on analyse les raisons de leur apparition, on s'aperçoit qu'ils contournent en fait deux règles de l'institution scolaire :

– les clubs ne réunissent que des volontaires, qu'ils soient maîtres ou élèves, ce qui est en contradiction avec la règle d'égalité de traitement pour tous;

– les clubs se réunissent en dehors des horaires scolaires, ce qui permet de déroger au principe de l'heure de cours. Il est en effet difficile de faire de l'informatique en cinquante-cinq minutes.

La niche écologique qu'a occupée l'ordinateur s'est stabilisée ainsi, principalement, dans cette expérience de longue durée, dans l'espace périscolaire, même si certaines activités informatiques se déroulaient en classe. De pair, s'était constitué un réseau d'affinités entre les professeurs intéressés. Cela peut s'interpréter comme un effet rétroactif de l'outil sur le milieu, analogue dans son fonctionnement aux effets structurants de l'automobile. Qui se serait douté, lorsqu'elle apparut sur les routes pavées au début du XXe siècle, que soixante ans plus tard l'automobile aurait si fortement structuré le paysage par les autoroutes et l'habitat, l'économie, par la crise du pétrole et les modes de vie, par le mode de transport individualiste qu'elle implique?

Nous retrouvons ici la dualité entre logique du développement technologique et logique de l'usage. La première conduit à un résultat binaire : on se sert de l'ordinateur dans l'école, ou bien rien. La seconde ouvre des possibilités, en permettant précisément de regarder ce qui se passe ailleurs. Confucius disait qu'une façon commode de faire disparaître un éléphant était de regarder à côté.

Un autre effet induit de l'introduction de l'ordinateur au lycée réside dans l'apparition de réseaux d'affinités entre collègues partageant le même goût pour une pratique technologique, phénomène constaté plus haut à propos de la photographie, de la radio et du magnétoscope. Les exemples sont nombreux en France. Les écoles normales d'instituteurs, les mouvements pédagogiques, des associations tels que l'Ademir, l'EPI ou Microtel fédèrent un nombre important d'enseignants qui échangent des informations, des produits et des expériences. Cette organisation horizontale, engendrée par l'ordinateur, n'est pas conforme, non plus, à l'organisation hiérarchique et pyramidale de l'institution éducative.

Bien que l'on ne dispose pas de données quantitatives précises, il est intéressant de constater que des professeurs se sont emparés ces dernières années des tableurs et logiciels de traitement de texte pour faire de l'ordinateur un outil de travail au service de la communication.

Les messageries télématiques

En avril 1987, 2 237 000 Minitels étaient installés en France, ce qui représence 10 % des abonnés au téléphone. Selon une enquête de MV 2 Conseil [27], chaque Minitel émet en moyenne 10,3 appels par mois, pour une durée d'utilisation de cinquante-sept minutes. Cela représente globalement 20 millions d'appels mensuels, 287 millions d'appels par an et plus de 30 millions d'heures de connexion. Le tout avec un indice de satisfaction de 80 % de la part des usagers, qui ont entre vingt-cinq et quarante-cinq ans. 70 % sont masculins, en majorité dans les affaires, cadres supérieurs et fonctionnaires, pour la plupart parisiens et dotés d'un revenu mensuel supérieur à vingt-cinq mille francs. Les usages se répartissent comme suit :

191

– consultation de l'annuaire	17 %
– jeux	17 %
– messageries	16 %
– applications internes	16 %
– vie pratique	15 %
– informations générales	8 %
– banque et finance	6 %
– applications professionnelles	5 %

Les « messageries roses », de par leur succès, révèlent l'existence d'un besoin de communication en partie masquée, à l'instar de ce qui se passait dans le réseau téléphonique de Montpellier. Le masque est ici double : le pseudonyme plus l'écran qui dissimule la voix et la personnalité – encore qu'à l'usage, il faille peu de temps pour déceler le type de personnalité de l'inter-locuteur. De ce point de vue, le Minitel est impi-toyable, car il montre sans fard l'orthographe, le style, le sens de la métaphore, l'art du maquillage et la capacité de synthèse de ceux qui communiquent. Les observations manquent encore pour déterminer la nature exacte de la régulation qu'exercent ces machines à communiquer. S'agit-il précisément d'une misère sexuelle qui s'exprime plus facilement sous le traves-tissement, auquel cas il faudrait souligner qu'elle est essentiellement masculine, puisque 70 % des usagers sont des hommes, ce que confirme d'ailleurs les mes-sages publicitaires totalement faits pour eux. Leurres sexuels parfaits, ces personnages féminins érotique-ment déshabillés, voire bestialement offerts, quels que soient leurs prénoms, sont conçus pour appâter les mâles qui, in fine, dialoguent entre eux, en un naïf et souvent expéditif bal masqué.

Cet étrange phénomène médiatique, qui déconcerte profondément les étrangers, croyant au vu des affiches que ces super-femmes existent, correspond-il à une détérioration du lien social qui conduit les individus atomisés à rechercher de nouvelles formes de grou-pement? L'avenir le dira, car il est encore trop tôt pour statuer.

Se développent également des messageries à caractère utilitaire. La consultation juridique par messagerie intéresse de plus en plus de petites entreprises qui ne peuvent s'offrir un service juridique. Les messageries pédagogiques constituent également un phénomène intéressant. La première a été imaginée voici deux ans par Cécile Alvergnat. De quoi s'agit-il? Des jeunes posent des questions par Minitel à des professeurs sur les devoirs ou exposés qu'ils ont à préparer. Si la question est facile et brève, la réponse leur revient immédiatement. Sinon, ils la trouvent vingt-quatre heures plus tard dans une « boîte aux lettres », espace que l'on peut se réserver dans une messagerie pour y lire son courrier. Plusieurs systèmes se sont montés en France. SOS-Profs déclare avoir deux cents heures quotidiennes de consultation, avec une moyenne de six minutes. Étud, qui a été mise sur pied par le CRDP de Bordeaux et les Caisses d'épargne et de prévoyance, a eu en juin dernier soixante-seize mille appels. Les ordinateurs de ces messageries enregistrent les questions que posent les élèves, ce qui fait que l'on dispose pour la première fois du corpus des difficultés scolaires, jour après jour.

Ainsi voit-on des jeunes à qui l'on a proposé l'informatique en milieu scolaire répondre à cette offre par l'usage de la télématique en milieu familial, pour satisfaire le besoin réel de soutien qu'ils éprouvent, là où le maître ne peut intervenir, c'est-à-dire le soir à la maison. C'est précisément là que se joue la différenciation scolaire, puisque les milieux familiaux sont en la matière très discriminants selon leur degré d'inertie ou d'agilité intellectuelles et selon l'attention qu'ils accordent aux difficultés scolaires de leurs enfants.

VIII

Les temps longs de l'usage

Les grandes catégories d'appareils qui viennent d'être passés en revue ont progressivement envahi l'espace et la vie domestiques. Le phonographe et le téléphone en constituent les premiers équipements. On ne dispose malheureusement pas de données anciennes pour l'appareil à pavillon.

Le téléphone, en revanche, a connu depuis son début des comptabilisations précises, ce qui permet d'observer de façon quantitative des mouvements de longue durée. On constate ainsi que la norme d'usage a fluctué à son propos, en France, en quatre grandes périodes. De son invention jusqu'à la guerre de 14, il est considéré comme futile. De la Première Guerre mondiale jusqu'à 1934, la norme s'inverse. Le conflit a montré aux hommes l'utilité du téléphone et la politique d'équipement en tient compte. Puis, en 1934, les investissements diminuent considérablement, et de nouveau on ne croit plus au téléphone pendant quarante ans, jusqu'en 1974. La Direction générale des télécommunications, essaie dès 1970 de développer une politique de marketing, qui s'intéresse aux usagers. En 1974, l'équipement redémarre et le public, qui s'était habitué à considérer le téléphone comme un luxe inaccessible, recommence à demander à l'administration l'installation de lignes. Aujourd'hui, le téléphone est considéré comme un outil fonctionnel et non plus relationnel. On a vu d'ailleurs qu'en la matière, ce sont les agriculteurs qui ont ouvert la voie. La logique d'usage n'est donc pas uniquement liée au comportement de l'usager final. Elle est aussi régie par la politique des décideurs au sein de la sphère technicienne.

L'évolution de l'équipement photographique des ménages confirme la théorie de l'usage de l'appareil qu'avait élaborée Pierre Bourdieu. La consommation annuelle de pellicules reste faible et constante malgré l'accroissement et le perfectionnement du parc : trois pellicules par an et par ménage suffisent largement à conserver les images des cérémonies et des vacances. L'avenir dira si la tentative de Polaroïd pour faire de l'appareil un outil de travail aura un effet sur cet usage rituel de la photo.

Les premières statistiques d'écoute de la radio montrent bien comment le public s'est emparé de l'outil : il l'écoute à table et le soir en famille. La télévision se coule d'ailleurs par la suite dans ce creux. Un débat s'est ouvert sur la norme d'usage de ces deux médias : ne doivent-ils toujours servir qu'à distraire ? Les femmes de marins se sont bien servies de la radio d'Antelim pour communiquer avec leurs maris, leur donner des nouvelles certes, mais aussi leur apprendre des notions techniques nouvelles. Il est vrai que les temps évoluent rapidement. Le cumul d'écoute quotidienne de la radio et de la télévision est de trois heures en 1970. En 1986, il est de six heures, soit le double. Une étude récente montre même qu'il mord désormais sur le temps antérieurement consacré au travail. On se trouve devant des constatations contradictoires qui justifieraient à elles seules une nouvelle analyse des besoins réels, non sous-tendue a priori par la théorie de la distraction dominante.

L'opposition des normes de « sérieux » et de « pas sérieux » s'applique au téléphone, à la radio, à la télévision, et à la photo également, si l'on veut bien admettre une identification du travail professionnel au sérieux. On propose au public des banques de données à consulter par Minitel, il répond en négligeant l'offre

195

et en utilisant les messageries. Tout se passe comme si ces appareils étaient faits pour un usage ludique, terme préférable en fin de compte à celui de « pas sérieux ».

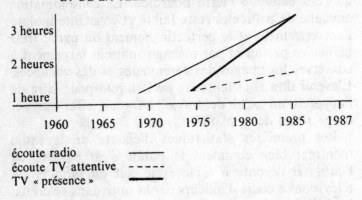

ÉVOLUTION DU TEMPS D'ÉCOUTE QUOTIDIENNE
DE LA RADIO
ET DE LA TÉLÉVISION ENTRE 1965 ET 1985

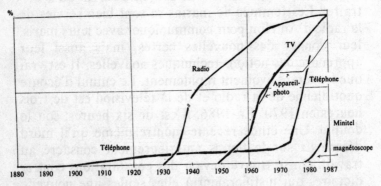

ÉVOLUTION DE L'ÉQUIPEMENT DES MÉNAGES

Le graphique ci-dessus montre pour la France l'évolution de l'équipement des ménages. On constate la très lente pénétration du téléphone à l'échelle d'un siècle. Le véritable mouvement d'équipement généralisé s'amorce en 1930 avec la radio. A partir de 1970, on peut affirmer qu'une grande majorité des espaces domestiques est dotée de plusieurs médias. Il y a à ce moment-là une grande vogue de l'audiovisuel :

le Québec s'équipe en câbles communautaires, la vidéo fait son apparition, le film *Blow up* connaît un grand succès et n'importe quel photographe amateur se prend pour un photographe de mode. Cette considération sur l'équipement du foyer n'est pas sans importance, car elle rappelle que les enfants nés depuis lors ont vécu leur prime jeunesse dans un environnement où tous ces médias existaient déjà. Ce qui les conduit à une représentation de leurs usages sûrement très différente de celle qu'ont les plus âgés, qui ont vu apparaître ces machines l'une après l'autre et qui, par conséquent, en dissocient les emplois. On ne voit guère d'adultes regarder la télévision en écoutant la radio.

La lente interaction de l'offre technologique et de la logique d'usage a fini par dessiner une vaste niche écologique pour l'ensemble de ces machines. Le temps qu'on leur consacre est par la force des choses pris sur un temps que l'on réservait jadis à d'autres activités. La société contemporaine isole de plus en plus l'individu. Elle le prive de contacts humains et de l'information qu'il recueillait jadis au marché, elle le sépare par des distances embouteillées de ses proches, l'installe dans la hantise d'être constamment démonétisé du fait de la péremption rapide des qualifications.

On constate, dans le même temps, que les machines à communiquer servent à rapprocher les congénères. Les radioamateurs s'enorgueillissent de toute nouvelle liaison plus que de la qualité de l'échange. On peut se demander si les usagers des réseaux ne sont pas motivés par une boulimie de contacts, ce que le dispositif favorise, plus que par une recherche de l'approfondissement des liens établis. Le téléphone a conservé un grand usage relationnel : « on s'appelle et on déjeune ensemble », entend-on dire très souvent, par deux personnes en train de dialoguer en présence l'une de l'autre. L'usage des machines à communiquer favorise la création de réseaux de socialité : radioamateurs, clubs de prêt de vidéocassettes, réseau téléphonique, messageries télématiques dont les partenaires demandent à se rencontrer, clubs périscolaires de l'« expérience des 58 lycées », réseaux d'échange de disquettes pour micro-ordinateurs, etc. Dans ces configurations, l'outil de communication joue autant le rôle symbolique de fédérateur d'affinités qu'un rôle fonctionnel. La machine à communiquer ne se plaque pas sur le tissu social : elle exerce un effet structurant en retour qui crée des décalages par rapport à la situation antérieure. La niche écologique ne cadre pas avec l'institution, car l'usage de la machine n'en respecte pas les règles. L'usage des médias requiert un ensemble de compétences différent de celui qu'elle organise. Le piratage des logiciels n'est pas uniquement une contrefaçon. C'est aussi un facteur d'échanges dans un réseau de socialité où c'est moins le contenu des logiciels qui importe que le fait d'en collectionner sans cesse de nouveaux.

On peut se demander si ce ne sont pas ces raisons-là qui font que la société admet massivement ces machines, en fin de compte pour pallier divers déséquilibres. Ce qui pourrait passer pour déviance devient alors leur raison d'être.

Ce rapide examen des données qualitatives et quantitatives montre qu'aujourd'hui, les études de cas se multiplient et qu'avec les nombreuses données statistiques – lacunaires et insuffisantes, certes – elles constituent un auxiliaire précieux pour entamer l'analyse de l'équipement domestique en communication et de l'usage qui en est fait. Cela suggère aussi de nouvelles investigations qui pourraient donner une image plus précise de la réalité, filtrant du même coup les propositions avancées dans le discours incantatoire sur les nouvelles technologies.

A relire les données accumulées, que constate-t-on ?

Les premiers appareils (téléphone, phonographe) ont mis beaucoup de temps à s'établir. Leur niche a été le fruit d'une lente érosion. Pour les nouvelles machines, on constate une accélération du processus d'intégration. Il n'est pas facile de trancher entre l'hypothèse d'une illusion d'optique, due au fait que nous sommes trop proches de la réalité, et l'explication par une maturité de l'usager, formé grâce au téléphone, à la radio, à la télévision, aux mécanismes de base et aux fonctionnalités de ce qu'on appelle aujourd'hui le traitement de l'information.

Au nombre des notions acquises, pratiquement transformées en besoins, figure l'instantanéité. Instantanéité du contact par la communication téléphonique, instantanéité du résultat calculé par le micro-ordinateur. Doit-on y voir, comme certains le prétendent, la marque d'une régression de la société; ce n'est pas sûr, même si cela concorde avec certaines situations comme le contact sans suite que permettent des médias tels que le Minitel. On peut aussi considérer que l'instantanéité technologique est une nouvelle fonction dont s'est dotée l'humanité. L'instantanéité peut être avantageusement rapprochée de la fonction de rééquilibrage constamment rencontrée dans les usages.

Les données quantitatives rassemblées dans cette seconde partie montrent un progressif et réel équipement des ménages. En prenant de la hauteur par rapport aux usages constatés, on observe qu'ils sont, en gros, de deux sortes. Certains appareils trouvent leur place dans les rituels familiaux : c'est le cas de la photo, de la radio, de la télévision. Ce sont, pourrait-on dire, des cardans dont se dote la cellule familiale par rapport à l'espace et au temps : souvenir par la photo, raccordement au monde par la radio et la télévision. D'autres ont un emploi résolument plus instrumental. Ils servent à maintenir le contact, c'est le téléphone, à explorer l'environnement, c'est le Minitel, à approfondir les connaissances, c'est le micro-ordinateur. En réalité, cette distinction est rarement aussi tranchée. Il y a du symbolique, de l'affectif dans ces relations. Si des personnes âgées s'équipent en micro-ordinateurs, ce n'est pas seulement pour avoir un outil de calcul mais vraisemblablement aussi, un moyen interactif de conjurer la solitude redoutée.

L'image du cardan évoque la recherche et le maintien d'un équilibre; l'instantanéité, celle de la régulation. L'hypothèse serait alors que l'usager, nanti de sa panoplie, tend à conserver l'homéostasie de sa cellule d'appartenance en jouant de ces appareils à feed-back rapide. Le temps n'est plus où l'on attendait quinze jours la réponse à une lettre pour être rassuré sur le sort d'un proche. Nantis de leur parc d'appareils, les usagers auscultent ainsi quotidiennement le monde et leurs proches, et constatent qu'ils réagissent. Une grève prolongée de la télévision, un téléphone que l'interlocuteur ne décroche jamais finissent par inquiéter. Ces machines servent finalement à rassurer sur le fait que tout continue à fonctionner. Dans cette optique, l'usage a une fonction de contrôle, par celui qui le pratique, de sa famille, de la société et de ses mythes. Ce contrôle est instantané : appuyer sur un bouton, composer un numéro ou un code suffisent en effet pour obtenir un retour d'information quasi immédiat.

L'insertion d'un nouvel appareil dans la société est progressif. Yves Stourdze avançait que les premiers à s'en servir étaient les notables et qu'ensuite l'usage se généralisait depuis le sommet de la pyramide sociale. Cette observation, juste pour le cas du téléphone, ne paraît pas applicable à l'ensemble des cas considérés ici. Même en ce qui concerne l'usage fonctionnel du téléphone – ce qui est différent de la marque symbolique que crée le seul fait d'en posséder un –, ce sont, en dehors des entreprises, les agriculteurs chez qui il s'est développé en premier.

La radio se développe d'abord chez les bricoleurs – quelle que soit leur appartenance sociale – qui savent construire un poste à galène. Il en est de même pour la photographie, car il faut développer soi-même les plaques. Les jeunes accaparent en premier la micro-informatique et les hommes et femmes, qui sont en mal d'aventures, détournent le Minitel de sa fonction première pour y faire fonctionner un système de rencontres à distance.

Cette énumération conduit à formuler l'hypothèse d'une innovation qui est d'abord sectorielle et qui se propage ensuite par contaminations successives. La télévision s'est développée au sein des classes moyennes et a longtemps été rejetée par les intellectuels, les enseignants notamment. Il serait intéressant d'analyser en profondeur ces processus de propagation que l'on connaît mal encore. On penserait à tort qu'ils vont tous dans le sens d'une généralisation. Il y en a qui vont au contraire vers la spécification. Par exemple, la C.B. (Citizen Band) que l'on imaginait il y a dix ans devoir équiper toutes les automobiles, n'est plus utilisée que par les chauffeurs de poids lourds.

L'usage n'est pas neutre pour celui qui le pratique. A l'instar de l'outil qui rend les mains calleuses, il influe sur celui qui s'en sert et crée une empreinte qui modifie progressivement le milieu, tout comme le développement de l'automobile a créé la mentalité d'automobiliste, façonné le paysage autoroutier et la crise de l'énergie.

Contrairement à l'analyse de la fonction technique de l'appareil, qui ne recourt pour l'essentiel qu'à des éléments techniques eux-mêmes, celle des usages englobe également d'autres facteurs, qui n'ont rien à voir avec la technologie de la communication. Ils renvoient aussi bien à l'individu qu'à la société et à ses mythes.

Il est frappant de constater que ces mêmes facteurs sont pris en compte pour expliquer l'usage d'appareils différents. On trouve aussi – que ce soit chez les anthropologues, les sociologues, ou chez les spécialistes du marketing – le constat que l'usage effectif ne respecte pas servilement le mode d'emploi. Lorsqu'il s'agit d'expliquer les déviances, on recourt à l'appartenance socio-culturelle, aux normes en vigueur dans les milieux d'immersion, mais souvent il est vrai, aux caractéristiques propres à l'individu. Et l'on retrouve dans les historiques des divers appareils les mêmes types d'avatars : détournements, substitutions, ritualisation, par exemple. Sauf à admettre que tout individu apprend à se servir d'une machine par tâtonnement perpétuel, l'idée vient à l'esprit que la fixation d'un usage relève d'une logique qui est maintenant à mettre en évidence.

IX

La logique de l'usage

Le comportement des usagers est souvent en décalage par rapport au mode d'emploi d'un appareil. Il n'est pas unique non plus. Il y a grandes variétés d'attitudes et de comportements. L'usage se fixe plus ou moins vite. Le téléphone met un siècle pour sortir de l'adolescence en France, alors que le Minitel est en train de conquérir très vite une véritable fonctionnalité. Il y a, au premier abord, quelque gageure à désigner tout cela par le terme d'usage. Est-il légitime en effet de jurer qu'une seule et même logique préside à des « usages » aussi disparates? Les propos qui suivent répondent à cette question par l'affirmative.

Cette analyse suppose qu'on dresse l'inventaire des usages constatés. Ainsi s'éclaire l'histoire des grandeurs et des servitudes des machines à communiquer, du vieux transistor à demi démoli, mais que l'on aime bien, grâce auquel on écoute les informations matinales, jusqu'à la luxueuse chaîne haute-fidélité du salon, que l'on n'écoute jamais, parce qu'elle est compliquée à manipuler et que le téléviseur, à côté, est toujours en marche.

Bien des facteurs interviennent dans la décision de se servir d'un appareil, de l'abandonner ou d'en modifier l'emploi. Ils ne ressortissent pas tous, et de loin, au registre technologique. Ils sont liés pour une bonne part à la société globale, à son imaginaire, à ses normes. Mais, se demandera-t-on, qu'est-ce qui permet de prétendre, qu'une fonction aussi générale existe, à l'heure même où les modèles se référant aux déterminismes socio-économiques sont passés de mode? Le constat d'une réalité, massive, intermédiaire entre deux situations théoriquement simples mais qui ne se rencontrent pas. L'une serait que les gens se servent effectivement des appareils selon les prescriptions d'emploi de la sphère technicienne. En pareil cas, chaque famille posséderait, par exemple, une cassettothèque de ses défunts et ferait ses comptes sur micro-ordinateur. Mais parfois les usages préconisés sont longs à s'établir. Il a fallu cent ans pour que l'on découvre l'usage fonctionnel du téléphone, disait-on à l'instant.

L'autre situation, tout aussi théorique, voudrait qu'il y ait autant de types d'usages que d'utilisateurs, ce qui n'est pas le cas non plus.

Il y a de grandes convergences dans les formes d'usage, de grands regroupements, ce qui permet de supposer l'existence d'un modèle identique du fonctionnement chez les divers utilisateurs. Il s'agit d'une articulation dynamique entre l'offre technologique et l'emploi effectif.

Nous avons vu que, du fait de cette procédure, certains appareils se trouvent cantonnés dans des pratiques magiques, alors que d'autres en sont au stade instrumental, sans compter ceux qui ont été définitivement rejetés.

A l'instar de ce que veulent faire les inventeurs, la logique d'usage tend, elle aussi, à corriger des déséquilibres. En cela, elle est logique d'adaptation, qui installe, où cela se peut, des sortes de coussinets pour amortir les soubresauts de l'existence.

Mais il ne faut pas caricaturer. Les usagers ne se cantonnent pas dans le rôle de vierges offensées qui tentent à tout prix de conserver leur vertu. Les machines dont ils se servent déjà imprègnent leur comportement, leur langage, leur façon de penser. Charlot, dans *Les Temps modernes,* sort de la chaîne de montage et continue à faire compulsivement les gestes de serrage de boulons qu'il vient de répéter pendant plusieurs heures. Il est en quelque sorte « façonné » par la technique. Il en va de même pour les usagers que nous sommes. De toute façon, on ne peut plus se contenter, aujourd'hui, de la lampe à huile pour éclairer les projecteurs de cinéma. Il arrive aussi que nous aimions la technique, que nous admirions des appareils-photo ou des ordinateurs dans les vitrines. Nous pratiquons donc le double discours : la vierge effarouchée fait souvent semblant d'ignorer l'amateur fasciné.

Depuis l'après-guerre, les intérieurs ont été équipés d'une panoplie d'appareils : à côté du réfrigérateur et du lave-linge, on trouve aujourd'hui de nombreuses machines à communiquer, du poste de radio au Minitel, en passant par le magnétoscope. Les enfants nés dans ce décor n'ont pas choisi ces appareils et n'auraient pas eu forcément les mêmes raisons de les adopter. Ils apprennent, à leur contact, des notions, des modes de raisonnement que leurs parents discernent mal. Il y a donc lieu de faire un sort spécial à la question de la jeunesse et à la façon dont elle se servira de ses « machines-coussinets ».

Les différents états de la relation d'usage

On peut se demander pourquoi on n'a pas choisi de traiter de la lessiveuse ou bien de la cuisinière à gaz. Ces inventions, au demeurant fort utiles, ne connaissent pas la variété d'usage d'un téléviseur par exemple, tour à tour gardien, dame de compagnie, informateur et ciment du groupe familial. Les machines à communiquer sont en effet des sortes de caméléons qui reflètent, à l'instar de ces animaux changeants, la texture du contexte dans lequel ils se trouvent.

La relation est par essence dynamique puisqu'elle suppose, quelle qu'en soit l'issue, une confrontation itérative de l'instrument et de sa fonction avec le projet de l'utilisateur. Instrument et fonction méritent distinction car, s'ils sont bien liés dans l'esprit de l'inventeur, ils ne le sont pas forcément chez le profane, ce qui permet un jeu de l'un par rapport à l'autre. Les militantes québécoises substituèrent, par exemple, le théâtre à la vidéo pour faire passer un message. Aussi regardera-t-on si, dans le temps, le projet, l'instrument choisi et la fonction qu'on lui attribue restent inchangés. La conservation ou le changement se passent d'abord dans la représentation que les utilisateurs éventuels élaborent, puis modifient. Ils pensent ainsi, en 1878, que le phonographe permet à la voix enregistrée de ne rien perdre de sa fraîcheur. Cela se traduit aussi dans les pratiques effectives. Le téléviseur ne change pas d'écran. Ce sont les messages choisis qui varient : informations, dramatiques, dessins animés ainsi que le contexte : enfant seul, ménagère l'après-midi, groupe familial.

L'usage passe par une décision double : acheter l'appareil et s'en servir. Dans tous les cas rencontrés, on a tenté d'isoler trois éléments qui interviennent dans la décision et le processus d'emploi. Le premier est le projet. C'est l'anticipation de ce que l'on va faire avec l'appareil, anticipation plus ou moins claire, plus ou moins assumée, qui se modifiera souvent à l'usage. Le second est l'appareil proprement dit, l'instrument. Le troisième est la fonction qu'on lui assigne. Il n'y a pas toujours de relation biunivoque entre les instruments et les fonctions, du point de vue de l'utilisateur s'entend. Il peut garder lui-même ses enfants ou les confier à son téléviseur. S'il a un message à faire passer, il utilisera la radio, le théâtre, ou autre chose encore.

Pour l'usager, la finalité de l'appareil n'est pas, en général, de faire fonctionner l'appareil mais de s'en servir pour un service qui n'a rien à voir avec la technologie.

Cette relation est dynamique. Elle a un temps initial qui se modifie. L'évolution se caractérise par l'altération d'un des termes constitutifs de la décision : sujet, instrument ou fonction.

Ainsi se déclinent, en liste sommaire et hautement perfectible, les grands types d'usage.

Certains usages ont peu, ou pas du tout, à voir avec la fonctionnalité de l'outil. Ils servent à tout autre chose. L'objet reste sur scène, mais il se voit doté d'un rôle très différent pour accomplir un projet d'ordre symbolique, signe d'autre chose, de pouvoir, de compétence, de distinction entre autres. Fonction instrumentale et rôle symbolique ne s'excluent pas mutuellement. Toute la gamme des possibilités de coexistence est ouverte, y compris les cas extrêmes, dans lesquels fonctionne exclusivement l'outil ou le symbole.

La fonction instrumentale

La première forme de l'usage est celle dans laquelle les conservations du projet, de l'instrument et de la fonction vont de pair. Il existe ce qu'on peut appeler un usage conforme, qui respecte en tout point le protocole de l'inventeur, ou à tout le moins du revendeur. Cette proposition semble aller de soi. A la lire, on s'étonne même qu'il soit nécessaire de la formuler. Elle postule qu'il a identifié des procédures de l'usager modèle et du profane réel. Il existe peu d'appareils pour lesquels cette identité soit vérifiée. Il semblerait qu'elle le soit pour le téléphone, qui semble d'usage facile. Un silence sur la ligne, après que le numéro a été composé, incite souvent à raccrocher, alors qu'il n'y a aucune raison. Tous les jours devant les monuments, les touristes se photographient mutuellement, face au soleil, ce qui surexpose la pellicule, ou bien se prennent de si loin qu'il leur faut ensuite un compte-fil pour se reconnaître sur les tirages. Les comportements des gens sont donc très différents : cela va de l'activisme à la passivité totale. A Beaubourg, autour des terminaux télématiques, on a pu constater que s'organisait une situation dans laquelle œuvraient des

« testeurs » et des « démonstrateurs », sous le regard impavide d'une « statue du commandeur » et aux accents répétiteurs d'un « chœur antique » [1] phonographe pour de nombreuses machines à communiquer. Les premiers phonos étaient dotés de la capacité d'enregistrement. Dix ans après, ils ne l'avaient plus car personne ne s'en servait. Ce fut la même chose avec les magnétophones à cassettes qui servent principalement, comme les « baladeurs », à écouter de la musique enregistrée. La prise de son s'est progressivement installée, en dehors du secteur audiovisuel, dans divers domaines professionnels tels que la recherche ou le marketing; mais il sert toujours très peu dans le domaine familial. Il en va de même pour la première génération de caméras vidéo. On se servit principalement du magnétoscope pour enregistrer et regarder des émissions. Une première altération de l'usage consiste donc à moduler la gamme des capacités de l'appareil. Une sorte d'équilibre se constitue progressivement par interactions successives entre projet, instrument et fonction. Lorsqu'on se procure une machine, le projet d'emploi est souvent très vaste. Puis, au fil des échecs, de l'expérience, les ambitions se restreignent.

L'usage conforme peut également devenir une fin en soi. Le projet s'identifie à la fonction, l'usage devient pervers. C'est l'univers des « hobbyists », des amateurs, pour qui le fait de manipuler l'appareil est le plus grand plaisir, quel que soit le message qu'il véhicule. L'informatique suscite des passions de ce type. On rencontre ainsi des gens qui collectionnent les logiciels. Certains en ont plusieurs milliers. Il ne s'agit pas pour eux de les utiliser tous, mais, en les faisant « tourner », on fait fonctionner la machine, ce qui est l'essentiel. Avant l'ordinateur, la radio et la photographie déclenchèrent de semblables engouements, analogues à celui dont la moto fait toujours l'objet. Ici l'usager réel s'identifie à l'usager rêvé.

L'usage conforme, enfin, peut se figer. Ce n'est plus une finalité constamment renouvelée qui est à l'origine du projet mais l'habitude, ou encore la fascination. Le système Logo de programmation adapté aux enfants est censé leur permettre de développer leur capacité de création. Cela ne se constate pas toujours dans la réalité scolaire quotidienne. Les élèves programment la construction graphique sur écran de quelques dessins qui sont un carré, un triangle, avec lesquels on peut faire une maison, parfois un moulin. L'usage est ici stéréotypé.

L'admiration pour un modèle peut jouer ici, tout comme dans le cas de la moto. Bien des motards se sont pris pour James Dean. Les enfants de la classe unique dans laquelle on utilise l'appareil-photo (cas examiné au chapitre v) furent vivement impressionnés par l'effet que produisit la réponse de Frank au maître, disant qu'il avait photographié ce paysage « parce qu'il ne pouvait pas l'apporter dans la classe ». La justification de Frank s'était figée, avait perdu son sens initial. Elle était devenue argument de recherche dans le paysage.

Parallèlement à l'usage conforme et à son apprentissage, il existe des formes altérées de relation, qui sont la modulation – ou sous-utilisation, des capacités de l'appareil –, la perversion et le stéréotype d'emploi. Dans tous les cas, il y a conservation du projet, de l'instrument et de la fonction. Mais il y en a d'autres, pour lesquels telle ou telle facette de la relation change de sens.

Les transformations de l'usage

La relation d'usage peut connaître des avatars plus sérieux. L'instrument connaît des détournements. On l'emploie pour un projet autre que le projet initial en lui conférant une autre fonction. L'abbé Nollet utilisait la capacité d'agrandissement de la lanterne magique pour en faire un microscope alimenté par la lumière du soleil. A la place d'une plaque peinte, il insérait entre deux verres une puce que l'on voyait, selon lui, grosse comme un mouton. A la prison de la Santé, les détenus avaient appris, il y a une vingtaine d'années, à transformer les magnétophones à cassettes en récepteurs de radio, à une époque où ces appareils n'étaient pas autorisés dans les prisons. Les fillettes qui, nous l'avons vu, avaient utilisé un appareil-photo comme télémètre avaient procédé ainsi. De même en fut-il pour le Minitel qui vit le projet de consultation de banques de données se changer en un dispositif de « messageries roses », puis utilitaires : petites annonces, soutien pédagogique, consultation juridique. Le « réseau » téléphonique fut, à l'origine, l'occupation illicite par de multiples usagers d'une ligne téléphonique non affectée, sur laquelle il était possible de dialoguer à plusieurs. Antelim, la radio des marins faite par les marins en fut un également, dans la mesure où l'instrument était mis au service d'un projet radicalement différent : celui d'une communication horizontale se substituant à la communication verticale des mass media.

On assiste aussi à des créations alternatives. Seule la fonction est conservée. Le projet change ainsi que l'appareil : dans le dispositif de « Radio-Trottoir » au Congo, la transmission orale s'est substituée à l'émission hertzienne. Il y eut là création d'une machine sociale à communiquer, alternative à un système médiatique et innovation puisqu'elle intègre les fonctions d'émission en « broadcast » et de transmission point à point. Il y a quelques années, les enfants s'amusaient à composer sur leurs calculettes des nombres qui devenaient des mots lorsqu'on les lisait à l'envers. Par exemple, le nombre 7 1 3 7 0 5 se lit à l'envers : SOLEIL. L'astuce consistait à découvrir des opérations qui produisaient de tels nombres.

Dans certains cas, il y a substitution : le projet est maintenu, ainsi que la fonction de communication, mais on change d'instrument. C'est ce que firent les militantes québécoises lorsqu'elles passèrent de la vidéo au théâtre. C'est ce que font les gens qui bidouillent des décodeurs pour la chaîne de télévision Canal +, ou encore qui « gonflent » les cartes à mémoire dont on se sert dans les cabines téléphoniques.

Il y a aussi une forme de la relation d'usage dans laquelle il n'y a d'incertitude que sur la fonction. Il s'agit de la procédure d'ajustement qui, héritant des tâtonnements et de l'expérience acquise, infirme la fonction initialement prévue et détermine celle qui est pertinente pour un projet donné. C'est ainsi qu'est en train d'évoluer l'usage de l'ordinateur à l'école. On s'en servait pour débiter des tranches de cours puis on s'aperçoit progressivement qu'il a des emplois spécifiques, comme instrument de mesure, comme banque de données, comme traitement de texte.

Il arrive aussi que l'on change d'appareil et de fonction pour un projet auquel on tient. Dans un premier temps, voici une dizaine d'années, bien des gens avaient équipé leur voiture d'un radio-émetteur, la Citizen Band, pour satisfaire un besoin croissant de relations avec autrui. Quelques années après, il n'y avait plus que les chauffeurs de poids lourds qui s'en servaient, les usagers s'étaient reportés sur les Minitels qui gèrent une communication masquée, spectrale, alors que la radio met les interlocuteurs directement en contact.

La négation de l'usage instrumental est un rejet. L'histoire des machines à communiquer contient ainsi des cadavres, qui correspondaient pourtant à des offres séduisantes. L'appareil-photo Munduscolor, produit après la guerre, qui permettait de prendre plus de trois cents photos sur une pellicule de 9,5 mm, ou la pellicule circulaire offerte récemment n'ont pas retenu l'attention des usagers. Les microsillons souples qui donnaient une illustration sonore à des périodiques ont également disparu. Disparus aussi ces petits appareils que l'on portait sur soi, émettant un signal qui permettait d'entrer en contact immédiatement avec un autre passant qui en était équipé. C'était là, stricto sensu, des machines à communiquer. La peur du contact direct conduit au rejet. La réaction est parfois violente. Les autonomistes bretons firent ainsi sauter le relais de télévision de Roc-Trédudon et un mouvement mystérieux, le Clodo, plastiqua plusieurs centres de calculs toulousains.

Il y a enfin l'oubli. Personne ne savait plus à quoi avaient servi les quelques dizaines de tonnes de plaques pour lanternes magiques qui dormaient dans les caves du lycée Saint-Louis, lorsqu'on les redécouvrit en 1972. Le cinéma, puis la télévision avaient occulté le souvenir de cet appareil. Nul ne voyait non plus que le moderne projecteur de diapositives était le descendant direct de la lanterne du père Kircher. La technique segmente ainsi les mémoires humaines et les remet à jour périodiquement. N'était l'histoire des techniques, le souvenir des machines antérieures et de leurs usages serait de plus en plus bref.

Les inventeurs conçoivent les machines comme des régulateurs de grands déséquilibres qui ne relèvent pas, eux, de la technologie. En cela, elles sont elles-mêmes des mythes. On retrouve chez les usagers l'écho de cette croyance. Visiblement, dans de nombreux cas, la pratique n'a pas l'efficacité qu'on attendrait de l'instrument. Elle est plutôt, en tout ou partie, le signe d'autre chose. L'usage n'est que rarement purement instrumental. Il se double souvent d'un rôle symbolique qu'affecte à l'appareil celui qui s'en sert. Là non plus, on ne constate pas des milliers de rituels différents, mais une analogie, sinon une identité de comportement chez un grand nombre d'utilisateurs.

Les enfants qui regardaient à la télévision les aventures de Goldorak vérifiaient que le mythe se déroulait en bon ordre, tout comme le jeune Marcel Proust le faisait pour celles de Geneviève de Brabant à la lanterne magique. Le téléviseur, à la suite du récepteur de radio, se prête à de nombreuses manifestations rituelles. Écouter les informations, c'est se relier au monde, c'est ponctuer les temps forts du groupe familial. Le rite de l'écoute du soir, parents et enfants rassemblés, célèbre le mythe de la famille nucléaire restreinte. La photo, stéréotypée elle-même dans son cadrage, accompagne les cérémonies de l'existence.

La ritualisation de l'usage concerne certains appareils plus que d'autres : la photo, la radio, la télévision. Elle crée ainsi un monde magique qui est à leur portée, nécessaire à son confort, car il est rassurant. On photographie les nouveau-nés, les jeunes mariés. Le « coussinet » est bien fait. Il préserve des chaos du quotidien.

Bien des appareils servent à établir un contact avec autrui. La solitude est brisée par la radio et la télévision. La photo rappelle celui qui est parti. On se téléphone pour se dire qu'on existe toujours. Le micro-ordinateur sert principalement à rétablir les échanges entre le père et ses fils, accessoirement ses filles. Le plus grand plaisir du radioamateur est d'établir une liaison hertzienne, dont le contenu importe peu. Les machines à communiquer sont des machines à s'atteindre. Pas trop, toutefois, car ça risque de devenir scabreux. On se déguise en spectre, on prend un pseudonyme et l'on transmet ses fantasmes sur l'écran du Minitel.

A moins que, tel l'élève qui apprenait le Logo, on ne se serve des instructions de ce langage pour faire tomber une fillette dans ses bras. Cette forme de communication est une tentative de rapt. Qui observe les stages de formation vidéo voit combien la caméra est instrument de séduction, de l'opérateur vers le sujet, qu'il manipule par cadrage zoom, et du sujet vers l'opérateur, à qui il livre son consentement.

La machine à communiquer devient ainsi souvent emblème de pouvoir, signe distinctif. Il est vraisemblable que le fait d'avoir une antenne sur le toit a contribué à domestiquer les téléviseurs, qui commencèrent par être regardés dans les cafés. Il y a une vingtaine d'années, on disait plaisamment aux États-Unis qu'un professeur d'université ne méritait plus ce titre si son laboratoire n'avait pas un ordinateur. C'est aujourd'hui à celui qui gonflera le plus les capacités de son Macintosh.

Mais, grandeur et décadence des outils, l'appareil usagé, après un certain temps d'oubli, devient objet décoratif. Le combiné téléphonique des années 20, même celui des années 50, le récepteur de la même époque, le téléviseur de 1949 avec sa lentille grossissante sont en train de devenir des antiquités dont l'usage est analogue à celui des armures ou des sagaies africaines dans les appartements parisiens.

La relation d'usage est donc un composé complexe d'instrumentalité et de symbolique. Les deux sont souvent associés, dans des proportions diverses. La relation est dynamique et s'inscrit dans des durées très variables. Ce sont ici les usagers, les mouvements historiques dans lesquels ils s'inscrivent qui constituent l'aune de la mesure. La relation d'usage opère d'ailleurs à des niveaux très différents qui vont de la microsituation à la période historique. Elle évolue dans le temps. L'usage réel est en fait une accumulation de décisions, d'essais, d'erreurs, de prises de conscience. Elle n'est pas achevée une fois pour toutes. Le procès qu'intente en quelque sorte l'usager à l'appareil a différentes issues. L'usage peut durer : on s'est servi quatre-vingts ans de la lanterne pour enseigner. Il peut varier dans le temps et dans l'espace : la vidéo communautaire a décliné après avoir eu un grand essor. Il peut faire cohabiter des propositions contradictoires : le pourfendeur de médias se rend, une fois sa plume posée, dans les grandes surfaces pour admirer le rayon « audiovisuel ».

L'usager se trouve au nœud d'interactions complexes entre son projet, son désir profond et le modèle d'utilisation auquel il pense. Porteur de tout cela, il exerce une logique.

La logique de l'usage

L'analyse des types d'usage montre qu'il y a des passages des uns aux autres. Ils ne sont pas disjoints et, sur une longue période, la relation passe souvent par différents états. Ces évolutions n'ont pas toujours été mises en évidence car on les regarde le plus souvent avec un a priori technologique binaire : on se sert de la machine, sous-entendu selon le modèle préconisé, ou bien on ne s'en sert pas. C'est une position confortable qui présente cependant l'inconvénient de faire fi de la continuité des individus et de les segmenter selon un modèle technologique. Ayant changé de lunettes, on se trouve alors devant un second problème : comment rendre compte du passage entre ces états les plus variés qui vont du refus total à l'emploi pervers? L'hypothèse est que l'usager détient la clé du problème, puisqu'en fin de compte tout passe par lui. Il est le lien vivant, historique, entre les avatars de la carrière d'une machine. On oublie trop souvent qu'il y a une histoire sociale des techniques à construire à côté de celle de leur développement. Décider de l'usage d'une machine offerte par la sphère technicienne, c'est, pour lui, prendre beaucoup de facteurs en considération. On lui demande en effet rien moins que de métaboliser l'appareil de sorte qu'il devienne partie constituante du tissu de la société. Cela ne peut se faire sans son accord. S'il boude, la rentabilisation n'est pas réalisable.

L'usager est d'abord un agent du contexte. La machine a, elle aussi, un contexte d'origine dont il a été longuement question. Mais lorsqu'elle est proposée sur le marché, elle en est dépouillée. Il lui faut en trouver un autre. La balle est dans le camp de l'usager, qui ignore, en général, tout des mythes et des fantasmes des gens qui l'ont mise au point.

Bien naturellement, il fait avec ce dont il dispose, et, en premier lieu, avec les mythes, les règles et ressources existant dans son contexte propre. La sphère technicienne suggère, par ses déclarations, une relation entre mythe et machine. Les usagers l'entendent mais ne l'acceptent pas toujours. Ils ont accepté la photo, le téléphone et le Minitel pour pallier l'absence, mais ils ont refusé l'ordinateur pour accéder à la connaissance universelle ou bien encore le phonographe pour enregistrer la voix des mourants.

Ils se construisent une première représentation de

la nouvelle machine, qui peut évoluer – c'est le cas pour le Minitel – ou se fixer pour longtemps. Dans les années 60, on a effectué de nombreuses recherches sur la traduction automatique. La presse s'est emparée de l'affaire et a crié victoire bien trop tôt, puisqu'un quart de siècle après, on n'est toujours pas arrivé à faire effectuer ce travail correctement par un ordinateur. Cette vérité hérisse bien des gens, car ils croient en toute bonne foi que c'est déjà fait, et cela, en vertu d'un syllogisme de profane que l'on peut formuler ainsi : le cerveau humain est capable de traduire une langue dans une autre; l'ordinateur simule le cerveau humain; donc, l'ordinateur peut traduire.

Ce bel exemple d'usage mythique de l'informatique n'est pas le seul; il montre, s'il en est besoin, que chez les profanes, se construit tout un imaginaire technologique qui arrange les choses à sa façon. Il est particulièrement fort chez les enfants d'aujourd'hui qui ont complètement domestiqué le robot [2] et l'intègrent totalement à leur conception de la vie future. Aussi, une nouvelle machine n'arrive-t-elle pas en terrain vierge. Sa représentation initiale réserve des surprises. Mes collaborateurs et moi-même avons travaillé, en 1986, avec une institutrice néophyte et, a priori, peu favorable à l'informatique. Nous mîmes à sa disposition une machine classique. Sa déception fut grande car ce n'était pas un « Macintosh », c'est-à-dire une machine très évoluée. Elle n'avait pourtant vu cet appareil que quelques instants, dans une vitrine. Cela avait suffi pour modifier profondément son système de représentation, dans lequel s'intégrait désormais un modèle de l'usager idéal, se servant d'un Macintosh. Dans la recherche en cours, nous avons tenté de cerner, par tests et par dessins, ce qu'est pour les garçons et filles de CM2 un usager idéal. Filles et garçons ne se les représentent pas de la même façon. Béatrice, onze ans, le décrit ainsi : « C'est un garçon de douze ans passionné d'informatique qui s'appelle Arthur. Il passe ses journées à dévorer dès programmes. Dans sa chambre il a trois télés, deux

Minitels et un ordinateur, et dix posters de foot. Il ne veut pas aller à l'école, mais Bernard, son copain, lui apporte ses devoirs et il les fait sur l'ordinateur. Enfin il en fait qu'à sa tête. »

Lorsque les filles dessinent « une fille passionnée d'informatique », il s'agit en général d'un mannequin posant à côté de l'ordinateur. Le personnage n'est jamais en action. Est-ce, parmi d'autres, l'effet de la publicité qui représente souvent la femme en figurante? Toujours est-il que les statistiques d'utilisation [3] montrent la réalité – pour l'instant tout au moins – de la disparité entre garçons et filles à ce sujet.

Certains psychanalystes [4] estiment que le premier rapport à ce genre de machines est de type spéculaire. De fait, l'usager y met quelque chose de lui-même : ses goûts dans le choix d'une émission, sa pensée dans la construction d'un logiciel. La psychanalyse parle alors de reproduction artificielle, de filiation et de rapport incestueux. Cela est un premier modèle. Il y en a un second : celui de l'usager de référence. Cette dualité serait à l'origine d'une crise et d'une recherche d'identification spéculaire. La formation à la pratique de l'ordinateur en est un bon exemple. Une représentation courante chez les néophytes est que l'informaticien modèle écrit le bon logiciel du premier coup. A leurs yeux, s'identifier à un tel expert paraît impossible. La réalité est autre, si l'on admet que faire de l'informatique c'est assurer une production contrôlée d'erreurs successives et admettre que leur élimination est asymptotique. De tels blocages, une fois levés, permettent une initiation correcte.

A côté du modèle fonctionnel, un modèle hédoniste est en train de se constituer. Le magnétoscope, le réseau téléphonique, les « messageries roses » ont, à l'instar de l'appareil-photo professionnel dans les années 70, une résonance érotique. Ces appareils deviennent les instruments de la séduction.

Normes, aires d'usages, niches

Pierre Bourdieu publie en 1965 un livre sur l'usage de l'appareil photographique, qu'il a étudié, d'une part, chez les paysans béarnais, d'autre part, chez les photographes de presse [5]. Il montre que le même appareil a, dans des milieux différents, des usages différents. On privilégie ici ce qu'on méprise ailleurs. La distinction cruciale concerne la photographie des morts. Les paysans ne le font jamais, alors que c'est le contraire pour les photographes de presse qui en font la une des journaux. Après des tâtonnements, de plus ou moins longue durée, l'usage se stabilise et la relation qui le caractérise devient norme pour le milieu qui l'a ainsi métabolisé. Il y a ainsi diverses « aires du photographiable » qui sont plus déterminées par le milieu d'immersion que par les capacités techniques de l'appareil. Il faut d'ailleurs remarquer que ces aires d'usage s'opposent à la capacité affirmée comme universelle de l'appareil. Toujours dans le domaine de la photographie, depuis les années 50 jusqu'à une époque récente, l'appareil fut un cadeau de première communion. La capacité de photographier allait de pair avec ce rite de passage. Cela est en train de changer, mais il y a quelques années encore, on estimait en général que l'acte de photographier était un acte d'adulte. Les enfants du village où l'on fit l'expérience photographique ne furent que très peu pris au sérieux par leurs parents.

En ce qui concerne la radio, les enquêtes d'opinion d'après la guerre montrèrent que les auditeurs voulaient des chansons et des variétés, pas de « sérieux », d'opéras ou de causeries scientifiques, au point que de nos jours subsiste la norme vivace que la seule vocation de la télévision est de distraire. La maturation du téléphone fut très longue en France et connut une alternance de normes qui balancèrent entre le futile et l'utile : de 1880 à la guerre de 14, les hommes

217

estimèrent que c'était un instrument de conversation féminine, de la fin de la guerre à 1934, il devint outil, de 1934 à 1974 on pensa de nouveau que c'était un luxe. Son usage n'est véritablement devenu instrumental que depuis une quinzaine d'années. L'établissement des normes s'opère ainsi par un jeu de longue durée, au cours duquel la relation d'usage prend divers états jusqu'à ce qu'elle trouve un point d'équilibre. Dans la constitution d'une norme intervient le facteur très important de la légitimation. C'est en quelque sorte la caution que l'usage est utile et licite. Elle est émise par un individu, un groupe ou une instance qui influe sur l'opinion. Clément Ader cherchait désespérément à convaincre le président de la République, Jules Grévy, de se servir du téléphone, précisément pour cette raison. Il n'est pas inutile de rappeler que c'est le couronnement de la reine d'Angleterre qui convainquit les Français d'acheter massivement des téléviseurs. L'informatique, elle, a été légitimée sans interruption depuis quinze ans par les chefs d'État successifs, les autorités politiques, les syndicats. La lanterne magique l'avait été, en son temps, par l'Église. Quant à la télématique, la publicité a pour cible – essentiellement par la pulsion érotique – une gent masculine apparemment en grande misère de contacts féminins [6].

Il reste aussi une part importante de responsabilité à l'individu, qui fait un mixage de ses croyances, de son affect, de sa libido, de sa culture technique et des besoins qu'il éprouve pour construire un projet. Son statut d'homme ou de femme importe également. Il est étonnant de constater que les femmes s'investissent peu dans l'illusion électronique, aussi bien dans sa conception que dans ses usages. Peut-être est-ce parce qu'elles sont dotées de la faculté de création naturelle, dont les hommes cherchent le pendant dans la reproduction artificielle. L'élan vital joue chez les hommes comme force qui conduit à résorber le handicap par tous les moyens, dont la technologie, le traitement pour les aveugles, par exemple.

Ces besoins sont caractérisables en termes de déséquilibres : beaucoup d'entre eux ont été passés en revue. Tout se passe comme si l'individu percevait une « différence de potentiel [7] » : absence, solitude, désir de communiquer. Il installe alors un raccord, dont à la fois la croyance mythique et la norme lui assurent le fonctionnement. S'instaure alors un processus d'expérimentation. Les essais et les erreurs s'accumulent jusqu'à ce que la relation atteigne un état jugé satisfaisant. La distance par rapport à l'usager idéal, le désir de réussir, le jeu des normes influent sur le projet ainsi que sur la fonction prêtée à l'appareil, décidant en fin de compte de leur conservation ou de leur changement. Tout se passe comme s'il s'agissait d'une négociation entre l'usager et la sphère technicienne dont l'enjeu est la place et le rôle à assigner à la machine. Les points forts se conservent, les autres, non.

L'examen des pratiques [8] a montré que l'expérimentation a deux grandes issues, en dehors du rejet total et définitif. L'une est d'adapter l'outil à ce qui a été appelé ici les « magies familiales ». L'autre conduit au « désenchantement » de l'appareil, c'est-à-dire à son usage fonctionnel. Dans l'un et l'autre cas, les appareils, dont les aires d'utilisation se précisent progressivement, finissent par s'installer dans des « creux », façonnés par les mythes, les normes et une « différence de potentiel ». Ces « creux » ressemblent, dans le territoire technologisé de la société d'aujourd'hui, aux niches écologiques d'un biotope [9]. L'homme a une certaine marge de liberté pour les occuper ou les refuser, mais il semble, à regarder l'évolution de l'équipement depuis un demi-siècle, qu'il y consente de plus en plus. La photo de mariage, l'écoute de la radio le matin, la soirée familiale autour de la télévision sont des niches d'usage, à fonction magique ou instrumentale. C'est, comme on le voit, une logique d'adaptation, car elle installe des cardans là où il y a déséquilibres et cahots.

L'usage des machines à communiquer apparaît en

même temps que la famille nucléaire restreinte, favorisée après la Première Guerre mondiale par l'exode rural et par la politique de logement en immeuble. Les mouvements familiaux de la plupart des pays, industriels ou en voie de développement, ont remarqué que l'écoute importante de la télévision se développait, quel que soit le substrat culturel, là où les politiques favorisent la famille nucléaire [14]. Ces machines se disséminent dans le temps même où se détériore progressivement le lien social. Les plus récentes – micro-ordinateur, Minitel, walkman – se caractérisent par l'exercice solitaire, le masquage éventuel de celui qui s'en sert, et l'immédiateté du retour de l'information. Pour apprécier leur influence, il faudra explorer deux questions : les usages représentent-ils un état infantile, comme le suggèrent certains analystes (p. 182)? La société, les jeunes en particulier, ne sont-ils pas en train d'imaginer, à l'instar des inventeurs, de nouvelles pratiques de socialisation médiatisées.

L'offre technologique et les usagers se trouvent dans un champ conflictuel. La relation d'usage est une sorte de négociation entre l'homme, porteur de son projet, et l'appareil, porteur de sa destinée première. Les usagers finissent par se stabiliser, ce qui signifie que les négociations ont trouvé leur point d'équilibre. Cela se joue, à conditions égales, chez un grand nombre d'utilisateurs. Ces négociations accumulées aboutissent à un équilibre stable de longue durée et constituent des institutions de fait. L'écoute de la télévision est, en ce sens, une institution. Le soir où elle retransmet un match de football, il est inutile d'organiser des réunions. La photo de mariage est aussi une institution, ainsi que nombreux autres usages. Ces institutions coexistent avec celles dont il a été question plus haut – chaînes de radio, de télévision, liaisons télématiques, par exemple – et entretiennent des rapports étroits.

Mais l'important est que la logique d'usage, productrice de normes, soit aussi productrice d'institutions et contribue de ce fait à l'organisation du paysage politique d'un pays.

Dans certains cas d'ailleurs, le pouvoir politique se heurte à ces institutions de fait et tente d'en corriger l'évolution. Le Parlement du Sénégal réduisit, il y a une dizaine d'années, le nombre d'heures quotidien d'émissions télévisées, constatant que leur écoute accaparait trop les habitants. Le Parlement vénézuélien vota, il y a un certain temps, une loi interdisant qu'un feuilleton ait plus de cent épisodes. Les auteurs du feuilleton le construisaient en temps réel, tenant compte des réactions des auditeurs et élaboraient ainsi un outil de conviction qui échappait au contrôle politique, qu'une autre institution de fait risquait alors de prendre en charge.

Nous sommes loin du temps où l'on pensait que l'État, avec sa radio et sa télévision, manipulait les consciences. Si l'on en revient à la logique d'usage, son fondement n'est pas d'ordre politique, mais anthropologique. Bien sûr l'idéologie intervient, mais elle est bien loin d'être la seule dans le processus de décision de l'usager, qui convoque toute une série de facteurs pour en décider l'issue.

Ainsi se trouve explicitée une articulation entre ce qui se passe dans les micro-contextes et les observations statistiques effectuées au niveau du macro-contexte. Celle-ci permet de rompre l'isolement des « nouvelles technologies de l'information », que l'on a toujours beaucoup de mal à rapporter aux faits sociaux. C'est chose faite, si l'on fonde l'observation sur les intéressés eux-mêmes. Il n'y a pas de doute que les enquêtes statistiques devront dans l'avenir tenir compte des études de micro-analyse pour construire des schémas d'enquête et des indications qui cernent de plus près, en les quantifiant, les usages, dans leur réalité et dans leur diversité.

La logique d'usage ne définit pas l'usage le plus élégant, ni le meilleur. Elle présente souvent des lourdeurs, même si des éclairs de génie la traversent. Elle est aussi facteur d'inertie, dans la mesure où elle stabilise les positions acquises et où elle façonne en retour ceux qui la pratiquent.

L'empreinte de la technique

L'apparition de l'araire a permis de tracer des sillons. Leur parallélisme s'imposait. L'araire a commencé, dès le néolithique, à géométriser le paysage. L'invention de l'horloge au XIe siècle crée une heure qui a toujours la même durée, alors qu'auparavant, on s'en tenait au système antique : douze parts de temps entre le lever et le coucher du soleil, longues en été, courtes en hiver [11]. Le chemin de fer, en raison de ses horaires et des correspondances, généralise la notion d'exactitude. C'est *Le Train de 8 h 47* de Georges Courteline. Depuis soixante-dix ans, l'automobile structure le paysage, avec les autoroutes, les mentalités, la vitesse, l'économie, la crise du pétrole. On n'en finirait pas d'énumérer les effets en retour de la technique sur l'homme et sur la société. Aussi n'y a-t-il rien de surprenant à ce que les machines à communiquer fassent de même. On a cependant peu l'habitude de regarder ce fonctionnement à rebours de la mécanique et de l'électronique, ou, tout du moins, on s'en tient aux effets les plus facilement perceptibles.

La presse avait largement commenté en son temps l'influence de Brigitte Bardot sur la façon de se vêtir et de se coiffer des jeunes filles de son âge. La « queue de cheval » s'était popularisée par l'intermédiaire du cinéma, de la télévision naissante et de la presse. Les enfants jouaient aux cow-boys et aux Indiens pour les mêmes raisons. On crut un temps que la télévision incitait à la violence. On avait compté qu'un jeune Américain voyait jusqu'à l'âge de quinze ans plus d'une dizaine de milliers de meurtres perpétrés à l'écran. La criminalité n'ayant pas augmenté dans les mêmes proportions, on se dit que l'influence devait s'exercer autrement [12].

On s'aperçut qu'elle affectait le langage courant des jeunes. Ils « flippaient » déjà depuis pas mal de temps, depuis que les billards électriques étaient dans les cafés, mais ils devinrent « allumés » (comme la télé), « branchés » (comme le poste) et maintenant « câblés ». Des expressions revêtirent la forme de titres d'émission : « Bonjour, le chômage », « Bonjour, la galère », entendit-on. Un adolescent du 13e arrondissement nous déclara qu'il avait « laissé sa nénette en stand-by ».

Il devenait intéressant d'examiner si les médias ne laissaient pas des empreintes plus subtiles. Dans leur style narratif notamment. Luis Busato a établi un lexique des onomatopées d'adolescents [13]. A la lettre A, on trouve : *Asrgh, Aaough, Ah-ha, Aiemm, Airgh, Ang, Angnarm, Aoghrr* et à la lettre M : *Mueh, Meu-heu-heu, M-pam-pa, Mian, M-pouff, M-psiou-psioum, Mph-mph-mph-mph.*

Les termes ont peut-être changé puisque ce lexique a cinq ans. On constate que lorsque les adolescents racontent une histoire, la fonction de mixage a une influence considérable : une onomatopée complexe termine souvent une phrase, qui elle-même juxtapose des éléments d'information, par exemple dans les phrases suivantes :

« "Tu vois la tête de la bonne femme : glupglup-glup ! "

« (Celui qui parle a les yeux grands ouverts qui louchent, pendant qu'il fait semblant d'avaler de l'eau par petites gorgées.)

« "Tu : paoaoaoaonh, pawouo-ouah ! "

« (Celui qui parle balance la tête, regarde et mime, abasourdi.)

« "Oh, tu voles avec ça...ffflllm, ouh-là-là ! "

« (Celui qui parle examine " la fille " de haut en bas avec insistance.) [14] »

Tout se passe comme si la fonction de langage avait mixé le bruitage et la narration, narration qui n'organise plus, dans le discours, une progression des faits, mais juxtapose des « flashs ». Sherry Turkle raconte les entretiens qu'elle a eus avec certaines personnes jeunes qui reflètent une empreinte profonde des médias contemporains. Pour Mark, étudiant de première année au MIT, le cerveau est un ordinateur, dont les éléments actifs sont des processeurs. Ils ont tous le même statut. Situés au bord d'un fleuve, ils observent, et quand quelque chose qui relève de leur compétence y apparaît, ils transmettent l'information. Le fleuve est en fait ici un « bus », l'artère qui distribue l'information dans un ordinateur. Mark définit ainsi la conscience : « Le fleuve et les observateurs forment le processus central du cerveau. La conscience n'est que le reflet de ce qui se trouve dans le fleuve à un instant donné. La conscience est un observateur passif qui observe le fleuve. Elle ne voit même pas tout ce qu'il y a dans le fleuve, mais seulement certains objets très " puissants ", soit parce qu'ils ont été déchargés dans le fleuve par plusieurs observateurs, soit parce qu'ils s'y trouvent depuis longtemps [15]. »

L'écart est grand entre les onomatopées des adolescents et la profondeur de vue exprimée par cet étudiant. Dans les deux cas, on décèle cependant l'influence exercée par les technologies contemporaines de communication. Mais on a en même temps l'impression d'une profonde ignorance des mutations culturelles qui sont en train de se produire. Quelques travaux montrent cependant une piste à suivre. L'idée de base est que la pratique est source d'apprentissage. Les enfants pratiquent massivement l'écoute de la télévision et des jeux vidéo. Quel est donc l'apprentissage qu'ils en reçoivent, puisque ce n'est pas celui de la violence ? Les résultats actuels des travaux menés çà et là peuvent se résumer ainsi : l'aspect négatif de ces nouveaux apprentissages réside incontestablement dans le fait que les jeunes n'ont plus les repères nécessaires pour distinguer la réalité de la fiction. Il n'y a pas de raison pour eux qu'un stock de savoir diffère sensiblement d'un programme de télévision. De plus, ils arrivent difficilement à parler de ce qu'ils voient. Les chercheurs américains utilisent pour décrire cela le terme bien choisi de « référence vague ». Un aspect positif surgit toutefois de l'intense consommation d'images. Ils savent considérer un objet sous de multiples points de vue, ce qui constitue un préalable possible à la compréhension de ce qu'est une théorie [16]. La manipulation des jeux vidéo, dont les innombrables règles ne leur sont jamais explicitées avant qu'ils commencent à jouer, leur apprend à anticiper un événement et à découvrir une règle, ce qui constitue un exercice d'induction [17]. Ferguson disait, voici une dizaine d'années, dans un article resté célèbre, que la pensée inductive et la manipulation de l'image étaient les substrats de la pensée technique. En suivant ce raisonnement, on aboutit à l'hypothèse que les machines à communiquer forment les jeunes, sans que les adultes le sachent, à une nouvelle forme de pensée technique [18].

Les machines à communiquer exercent aussi une influence sur les organisations, on l'a vu pour la famille et pour l'école, dans la mesure où des groupes et des réseaux d'affinités sont nécessaires pour leur plein exercice.

Enfin, leur influence peut être plus diffuse. Certains historiens considèrent qu'une technique est véritablement assimilée lorsqu'on en utilise les termes comme métaphores dans le langage courant. Auparavant, c'est le processus inverse : des termes sont extirpés du langage courant pour caractériser la nouveauté. Le train fut ainsi dans ses trente premières années un « monstre qui rugissait », puis, un beau jour, on parla d'un « train » de réformes [19]. L'inversion s'était produite. L'ordinateur fut ainsi comparé pendant longtemps à un cerveau électronique. On dit aujourd'hui qu'on « engrange » (de *to store* : stocker) des connaissances à la place d'« apprendre ». L'« instantané » est sorti depuis longtemps du vocabulaire de la photographie. On dit à quelqu'un qui se répète : « Arrête ton disque ! » Le chanteur Claude Nougaro parle de « l'écran noir de ses nuits blanches », sur lequel il se fait du « cinéma ». Autant de métaphores qui prouvent la domestication des techniques d'origine.

La fréquentation quotidienne de ces appareils a par ailleurs aiguisé le goût des auditeurs et des spectateurs, et favorisé leur volonté d'obtenir un retour immédiat d'information. Insensiblement, le modèle médiatique construit son empreinte. Celui du téléphone, un émetteur relié à un récepteur par la transmission d'un message, sous-tend bien des discours actuels sur la communication. Émettre un message ou en être le destinataire suppose une identité, action renforcée par les politiques de marketing qui ciblent des catégories de population. Un des effets induits des machines à communiquer serait donc la construction d'une identité que l'on pourrait qualifier de médiatique. En matière de formation continue, par exemple, cette évolution est perceptible. Les bénéficiaires veulent moins de grands programmes généraux sur l'année que des services profilés à rendement immédiat.

Les enfants de l'empreinte

La démultiplication et la diversification de ces machines au cours des dernières décennies correspondent à une véritable mutation historique. En effet, la nouvelle génération est née et a grandi dans un environnement domestique suréquipé par rapport à celui qu'a connu la génération précédente. Ces appareils sont familiers aux enfants et constituent pour eux une sorte de continuum, ce qui n'est pas le cas pour les adultes. A leur naissance, ils étaient déjà tous là, tandis que leurs parents les ont vus arriver successivement. Les paramètres de la logique d'usage sont donc à réviser. Les néophytes d'aujourd'hui ne sont pas ceux d'hier, ce qui modifie sensiblement le contenu des représentations d'usage et les modèles de référence. Il semble aussi que de nouveaux mythes soient en train de s'installer, que ce soit celui de l'épopée médiévale ou, plus

226

prosaïquement, l'informatique comme le garant d'une insertion professionnelle réussie.

Le problème de fond est de savoir ce que cette génération fera de la balance actuelle entre machines magiques et machines. Saura-t-elle, parce qu'elle aura une culture technique plus approfondie que la nôtre, sortir des rituels technologiques et revivifier le lien social : c'est une question actuellement sans réponse. En revanche, il appartient aux adultes d'analyser lucidement ce qu'ils sont en train de faire et pourquoi ils le font avec ces machines, afin que les jeunes comprennent qu'ils ne sont pas condamnés à la consommation inéluctable d'appareils de plus en plus nombreux.

Les machines à communiquer sont à la fois causes et effets. Elles fournissent une alternative douce à la rugosité croissante des rapports dans la société. Elles permettent le feed-back immédiat sans peine et la communication masquée, donc frustrante mais commode. En cela elles ont une capacité considérable de séduction et contribuent à l'accélération de l'isolement que, précisément, en tant que cardans, elles sont censées atténuer. Car ces machines sont placées, comme le mastic, dans les failles de plus en plus nombreuses suscitées par l'accroissement démographique et l'urbanisation, son corollaire. La famille nucléaire se sent isolée, loin des siens. La télévision, le coup de fil, la photo qu'on reçoit de temps en temps sont là pour recréer le contact.

Continuera-t-on à se servir de ce mastic électronique – auquel cas, on peut envisager une société alvéolaire, complètement « mastiquée », donc bloquée –, ou bien mettra-t-on à plat le problème des déséquilibres? Ce sont les jeunes qui trouveront la réponse, car la logique d'usage de demain leur appartient désormais. Mais ne leur faisons pas prendre nos mythes pour des lanternes magiques.

Conclusion

Une fraction minime de l'humanité invente depuis toujours des machines qui fascinent, par les simulacres auditifs et visuels qu'elles produisent. Grâce à un exercice de la pensée inductive, le technologue conçoit un appareil qui produit l'effet désiré. L'entourage technicien prend ce résultat comme un donné et en déduit les applications possibles. Parmi les motivations qui l'inspirent, figure en bonne place l'intention prométhéenne, d'origine occidentale, de réguler par la technologie les déséquilibres divers qui guettent l'individu et la société : solitude, conflits, disparition, entre autres.

Les profanes que sont les utilisateurs ignorent pour la plupart le contexte de l'invention. Confrontés à leurs réalités quotidiennes, ils font le tri. Ils réservent certaines machines à communiquer, telles que l'appareil-photo, le poste de radio et le téléviseur, pour le maintien de l'équilibre familial interne. En revanche, ils en utilisent d'autres, le téléphone, le Minitel, pour assurer des relations avec l'extérieur qui, dans la société contemporaine, ne s'exercent plus dans le voisinage immédiat. Certains appareils, comme le micro-ordinateur, se trouvent actuellement en situation mixte. Ils servent d'une part à maintenir des liens entre générations au sein de la famille et, d'autre part, à renouveler les échanges avec l'extérieur, par le recours au traitement de texte, en particulier. La logique de l'usage procède tantôt par opérations déductives – on achète, par exemple, un téléviseur au moment du mariage –, tantôt par induction – c'est le moment des détournements d'emploi, des créations alternatives, réseaux téléphoniques ou messageries télématiques, par exemple, au moment de leur apparition.

Un terme commun se retrouve dans les discours techniciens et dans les pratiques des usagers : c'est ce que des journalistes de la fin du XIXe siècle appelaient la suppression de l'absence. Cette expression positive, produit de deux termes négatifs, suppression et absence, a quelque chose de surréaliste. C'est bien le sens qu'ont ces appareils, celui d'une prothèse par rapport à une société de contact permanent, mythique certainement, mais que l'imaginaire social évoque constamment. Ce qui frappe dans les pratiques, c'est qu'elles visent avant tout le contact dans bien des cas, entendre est plus important qu'écouter, voir que regarder, atteindre plus qu'échanger. Tout se passe comme si les utilisateurs avaient autour d'eux tous ces capteurs qui les rassurent sur le fait qu'ils gardent le contact avec l'extérieur, avec le groupe familial, avec la société. La télévision et la radio donnent le temps et l'heure. Le magnétoscope enregistre des émissions qu'on ne reverra jamais. Le répondeur répond. L'informaticien amateur collectionne des logiciels dont il ne se servira pas.

A y regarder de près les machines dites à communiquer gèrent plus une fonction de contact qu'une fonction de communication. Les utilisateurs se contentent désormais des simulacres de la voix, du visage, du paysage. Ils savent qu'à distance, dans l'espace ou dans le temps, ils reproduisent la marque d'un être, d'une époque ou d'un milieu dont ils ressentent par ailleurs le manque. Dans leurs usages, les machines à communiquer sont encore aujourd'hui, dans bien des cas, des machines à gérer des simulacres de présence.

Cette fonction sociale d'affectation des appareils recourt à de nombreux paramètres qui relèvent de l'imaginaire, du milieu et de sa culture technique, de l'individu proprement dit et de son projet. Selon le poids des uns et des autres, selon leur plus ou moins grande stabilité dans la négociation qui s'instaure entre l'utilisateur et l'appareil, l'usage sera conformité, détournement ou rejet, principalement instrumental ou symbolique. Il y a rarement des coups de foudre du public pour une nouvelle machine à communiquer. Il y a donc, dans la plupart des cas, résistance [1]. L'histoire montre qu'il y en a eu pour le téléphone, pour le phonographe, pour la télévision. L'acceptation, c'est-à-dire le calage final de la niche d'usage, intervient au terme d'une sorte de procès qu'instruisent les utilisateurs. La logique de l'usage, en soi, est l'artisan de la résistance.

Tout ce qui vient d'être dit ne signifie pas pour autant que l'instrument perde toute fonctionnalité. Le rôle de la logique d'usage est principalement de déterminer sa raison d'être, dans une situation donnée. Les contenus véhiculés par les médias ont été très peu évoqués, parce que ce n'est pas à ce niveau, selon cette analyse, que fonctionnent les procédures de choix, mais bien en amont. C'est aussi une façon de sortir de l'étreinte fatale que constitue la critique moralisatrice des médias, de la télévision en particulier. Cela ne met pas en cause les manières de procéder des professionnels des médias. Il y en a de bons, il y en a de mauvais, comme dans tout corps de métier. En tout état de cause, ils opèrent en aval. Certains rassurent très bien, et le savent d'ailleurs en créant à l'antenne, avec beaucoup de psychologie, le simulacre de la présence. Cela ne condamne pas non plus les inventeurs, pas plus que cela ne porte les usagers au pinacle. Une dialectique existe, qui est liée au fonctionnement même de la société. Elle est due au simple fait que tous les hommes ne sont pas des inventeurs. Car la source de la logique de l'usage réside dans cette différence de potentiel basique : certains s'investissent dans la découverte technologique, d'autres pas.

Contrairement à l'espoir naïf de celui qui met au point une machine, la société ne l'accepte ni d'emblée ni dans sa totalité. Il faut parfois de très longs méandres pour que le message soit entendu. Un siècle fut nécessaire pour que soit repris le projet d'usage éducatif de la lanterne magique qu'avait construit le comte de Paroy. Presque un siècle aussi fut nécessaire au téléphone en France, pour qu'il sorte de l'adolescence. Aussi ne doit-on pas crier au miracle devant les succès rapides de nouvelles machines. Leur niche est sans doute préparée de longue date.

Cependant, l'équipement de la quasi-totalité des ménages avec la quasi-totalité du parc existant de machines à communiquer est un phénomène qui mérite analyse. L'hypothèse envisagée ici est celle du colmatage nécessaire d'un lien social passablement détérioré. Elle se situe à l'opposé d'un discours incantatoire sur les vertus de l'information et conduit à formuler l'hypothèse que l'équipement massif des ménages sert à maintenir l'équilibre interne et le contact avec l'extérieur, plus qu'à développer une véritable communication. De ce point de vue, on est en droit de se demander si les projets de câblage du pays, de liaisons tous azimuts par d'innombrables canaux ne signifient pas que ceux qui les construisent reconnaissent implicitement une détérioration accrue du lien vivant entre les hommes.

Les usagers ne se cantonnent pas pour autant dans la seule contemplation frileuse de leurs boîtes magiques. La logique d'usage est aussi désenchantement. Certaines machines trouvent une fonctionnalité, pas forcément celle que la sphère technicienne avait préconisée. La manipulation quotidienne des claviers, des écrans inculque subrepticement des stratégies de recherche d'information. Dès lors que plusieurs millions de personnes sont concernées, cette empreinte de la technique prend l'allure d'un trait culturel. Cela explique vraisemblablement certains changements dans les mentalités. Alors que l'opinion publique en refusait le principe, il y a peu de temps encore, voici qu'elle admet aujourd'hui qu'il est possible d'apprendre au moyen de médias tels que la télévision, la télématique et l'informatique. Du coup, l'enseignement à distance connaît un nouvel essor. Il y aura lieu, dans les années à venir, d'approfondir les études sur les usages des machines à communiquer, d'en affiner les indicateurs statistiques, en tenant pour probable qu'ils ne sont pas uniquement motivés, ou en tout cas qu'ils le seront de moins en moins, par la seule recherche de la distraction. Car intervient dans cette évolution ce qui est encore une inconnue, à savoir le rôle de la jeunesse.

La maîtrise des machines à communiquer se révélera peut-être dans l'utilisation qu'elle en fera pour apprendre. La jeune génération a, à ce propos, une attitude différente de celles qui la précèdent. Elle a reçu très tôt l'imprégnation profonde des technologies de communication qui entouraient son berceau. Et l'on a ainsi, sans le savoir, fabriqué des sortes de martiens, dont on a bien du mal à cerner ce qu'ils savent et ce qu'ils ignorent. Capables de regarder la télévision en écoutant la radio, capables de lire un livre avec un walkman sur les oreilles, ils n'ont pas les moyens langagiers de nous raconter ce qu'ils entendent ou ce qu'ils voient. Les adultes s'estiment alors, non sans condescendance ni apitoiement, supérieurs. C'est alors que les jeunes sortent de leur poche un minuscule jeu vidéo et leur proposent de faire une partie. La différence des scores se passe de commentaires. Elle signifie que les jeunes détiennent des procédures de repérage et d'anticipation autrement plus performantes.

Le mode d'usage avertit de la fin poursuivie. Dans de nombreux cas, il indique des carences – à tout le moins si l'on veut éviter de porter un jugement – dans les relations, affectives en particulier, qui pourraient être gérées autrement. Bien des enfants qui regardent la télévision préféreraient, s'ils en avaient la possibilité, avoir leurs parents auprès d'eux ou jouer avec d'autres.

Supposons que le choix soit fait de leur montrer le fonctionnement de ces machines : l'analyse de leurs caractéristiques, telle qu'elle a été faite ici, nous enseigne que la partie cachée de l'iceberg qu'elles constituent n'a rien à voir avec la technologie. Les concevoir et s'en servir suppose la maîtrise du langage. Que n'apprend-on, par exemple à l'école, la stylistique de l'entretien téléphonique! Cela passe au préalable par une solide formation dans la langue maternelle. Pour comprendre l'image, pourquoi ne pas faire revivre aux enfants l'histoire de ces inventeurs et de ces spectateurs qui ont été émerveillés par le verre lumineux? Savoir consulter un écran d'ordinateur n'interdit pas de leur apprendre à lire un vitrail. La civilisation médiévale fut une civilisation de l'image, comme celle qui est en train de naître. N'est-ce pas l'occasion de leur montrer l'existence de cet antécédent, différent de la façon dont ils se le représentent, car ils le font, dans les jeux d'aventure? Enfin, il est urgent de découvrir ce qu'ils apprennent avec ces machines, dans le quotidien, car elles sont là. Notre génération les a installées sans se douter un seul instant que les petits pourraient apprendre à leur contact autre chose que ce qu'on pensait y avoir mis.

Nous sommes en train de défaire une seconde étreinte fatale : celle de l'informatique et de l'enseignement. On discute depuis deux décennies sur le bien-fondé de l'ordinateur à l'école. La question n'est plus celle-ci si on l'examine avec une logique d'usager. L'appareil ne se réduit plus à la seule technique. Les prérequis sont désormais visibles, l'appareil n'étant jamais qu'un concentré complexe de capacités diverses. L'expérience acquise à l'aide du système Logo a montré qu'une personne maîtrisant mal son schéma corporel programmait difficilement les mouvements d'un robot.

Faire de la programmation suppose qu'on ne soit pas vexé ni rebuté par une erreur commise. Ces considérations relèvent d'une prise en compte des individus, pas des machines.

L'école devrait jouer, à ce propos, un rôle déterminant dans le futur, moins par les machines qu'elle installera que par les capacités de base qu'elle procurera. Leurs exigences ne se limitent pas à savoir les manipuler superficiellement. Elles exigent une culture élargie, dont l'histoire des techniques, leur histoire, n'est pas absente. Sinon, les machines se périmant de plus en plus vite, nos enfants auront de moins en moins de mémoire.

J'étais allé passé une journée il y a quelques années – le 20 juillet 1981 – sur le site de Pincevent, invité par André Leroi-Gourhan. Je voulais rencontrer l'auteur de *Milieux et techniques*. J'avais à l'époque la responsabilité d'un programme de recherche sur l'apprentissage par les enfants à l'aide de l'ordinateur et je voulais recueillir son avis sur le bien-fondé de cette orientation qui consiste à mettre les jeunes élèves en contact avec les technologies les plus récentes. Il me répondit que, dans la société actuelle, il était difficile de maintenir l'équilibre, en raison du surpeuplement, du peu de soin apporté au « caillou » sur lequel l'homme se trouve, dont il gaspille les ressources et dont il omet de prévoir l'avenir à long terme. Puis il ajouta qu'il fallait laisser aux enfants la possibilité de découvrir par eux-mêmes ces outils, qu'il fallait leur en montrer les mécanismes. Il était également frappé par le hiatus entre générations.

Nous n'avons pas à transmettre nos angoisses aux jeunes. Chercheront-ils à se rassurer par de multiples charnières électroniques, manipulant rituellement des interrupteurs à longueur de journée, ou bien maîtriseront-ils les machines à communiquer pour qu'elles servent à de véritables projets, toute la question est là.

Paris, Hastingues
Juin 88

Remerciements

La réflexion présentée ici s'est nourrie de nombreuses discussions, au fil des années, avec Pierre SCHAEFFER à qui je dois beaucoup. Je voudrais évoquer aussi le souvenir de deux amis, trop tôt disparus, Yves STOURDZE, voici un an, et Yves LE GALL, il y a quelques mois. Le premier incarnait l'enthousiasme de l'inventeur, le second, la défense des usagers. Je leur suis profondément redevable des contacts enrichissants que j'ai eus avec eux. Ils ont contribué à la mise en scène que j'ai faite de l'altercation entre le technicien et le profane. Mes remerciements vont aussi à François CAGNETTA pour ses informations sur l'histoire des projections lumineuses et à Seymour PAPERT pour la discussion du concept d'usage.

La thèse de cet essai a fait l'objet d'une soutenance de doctorat d'État sur publications à l'université de Bordeaux III. Ce qui suit a de ce fait bénéficié des critiques et suggestions de MM. les Prs LAULAN, ESCARPIT, MEYRIAT, ROUAULT et SALOMON. Je les en remercie. Je suis profondément reconnaissant à Annie FOUQUET qui m'a constamment aidé et encouragé dans la réalisation de ce travail et qui a fait de très précieuses découvertes dans les archives statistiques de l'Insee. Je remercie aussi Ewa PAWLIKOWSKA qui a effectué des recherches documentaires pour cet ouvrage, aussi bien sur la partie historique que sur la partie consommation ainsi que Christian

MICHEL qui a réalisé les tableaux. Jean-François BOU-DINOT, Christian SAUTRON ont droit, pour leur aide constante, à ma profonde gratitude.

Monique NEMER m'a beaucoup apporté par sa critique serrée du manuscrit.

Notes

Introduction

1. Cf. par exemple, Marie Vinn, *The Plug-in Drug*, The Viking Press, New York, 1977, publié en 1979 en France par Fleurus, sous le titre *TV, Drogue?*

2. Cf. Alan Bloom, *L'Ame désarmée. Essai sur le déclin de la culture générale*, Julliard, Paris, 1987; Bruno Lussato, *Bouillon de culture*, Robert Laffont, Paris, 1986, Neil Postman, *Se distraire à en mourir*, Flammarion, Paris, 1986, Alain Finkielkraut, *La Défaite de la pensée*, Gallimard, Paris, 1987.

3. Pierre Schaeffer, *Machines à communiquer*, tome 1; *Genèse des simulacres*, tome 2; *Pouvoir et communication*, Le Seuil, Paris, 1971-1972.

4. Pierre Bourdieu et al., *Un art moyen. La photographie*, Éditions de Minuit, Paris, 1965.

5. *The use of Computers in Anthropology*, Mouton, La Haye, 1965.

6. André Leroi-Gourhan, *Le Geste et la parole. La mémoire et les rythmes*, Albin Michel, Paris, 1965.

7. R. Linhart, *L'Établi*, Éditions de Minuit, Paris, 1978.

8. Thierry Gaudin, *L'Écoute des silences*, 10/18, Paris, 1978.

9. Bertrand Gille, *Histoire des techniques*, La Pléiade, Gallimard, Paris, 1978.

10. Jean-Jacques Salomon, *Prométhée empêtré*, Pergamon, Paris, 1983.

11. J. Perriault, *La Photo buissonnière*, Fleurus, Paris, 1978.

12. *Id.*, *Mémoires de l'ombre et du son. Une archéologie de l'audiovisuel*, préface de Bertrand Gille, Flammarion, Paris, 1981. Cf. aussi B. Boffety, J.-F. Boudinot, E. Daphy, M. Descolonges, J. Perriault, *Rock ou informatique? Une enquête auprès des jeunes du 13e arrondissement*, INRP, Paris, 1985.

13. Sur ce sujet, cf. J. Perriault, *Mémoires de l'ombre et du son, op. cit.*

PREMIÈRE PARTIE – INVENTEURS ET TECHNOLOGIES DE L'ILLUSION

I. Une ligne millénaire

1. Georges Sadoul, *Histoire générale du cinéma*, tome 1; *L'Invention du cinéma*, 1832-1897, Denoël, Paris, 1948.
2. Cf. Jacques Perriault, *Mémoires de l'ombre et du son. Une archéologie de l'audiovisuel*, Flammarion, Paris, 1981, p. 199.
3. *Ibid.*
4. Athanase Kircher, *Ars magna lucis et umbrae : Liber Primus, Physiologia lucis et umbrae, Romae sumptibus Hermannis,* Scheres, 1646, in-f°.
5. B. Gille, *Les Mécaniciens grecs*, Le Seuil, Paris, 1980.
6. Aussi bien par Roger Bacon que par le moine Vitellione qui, par un de ses ouvrages, nous a transmis son art, ou encore Athanase Kircher. Cf. également J. Baltrusaitis, *Le Miroir, El Mayan*, Le Seuil, Paris, 1970.
7. Archimède, Euclide et Héron d'Alexandrie, notamment.
8. *Opticae thesaurus, Alhazeni Arabis libri, septem nunc primun editi. Ejusdem liber de crepusculis et nubium ascensionibus, Item. Vitellonis ... libri X. Omnes instaurnati – adjectis etiam in Alhazenum commentaris, a Fiederico Risnero... – Basilea per Episcopios,* 1572, 2 parties en 1 vol. Vitellione est un moine qui traduisit au XIIIe siècle l'œuvre de Al Haitam.
9. Al-Hasan abū Alī ben al-Hasan ben al-Haytam al-Basri al-Misri, né à Bassorah, professeur au Caire; l'histoire a conservé son nom sous les formes de Arazel ou Al Hazen.
10. A. Kircher, *op. cit.*
11. Cf. Léonard de Vinci, *Les Carnets*, Gallimard, Paris, 1942, repris dans la coll. « Jel », en 1987.
12. Cf. note 8.
13. Johannes Zahn, *Oculus artificialis teledioptricum sive telescopium,* Johan Christopher Lochner, Nuremberg, 1702.
14. Rodis-Lewis G., Introduction, in Descartes, *Discours de la Méthode,* Garnier-Flammarion, Paris.
15. « Dioptrique », in *Discours de la méthode,* Garnier-Flammarion, Paris, 1966.
16. Chambre noire dans sa configuration la plus simple; la partie frontale y est constituée d'une paroi percée d'un trou.
17. J. Perriault, *op. cit.*
18. Les travaux en cours de François Cagnetta sur la lanterne magique au XVIIe siècle mettant en évidence le fait que Walgensten fut un grand propagateur de l'invention (comm. pers.).

19. Il ne l'a en tout cas pas inventée. Nous avons maintenant de bonnes raisons de croire, grâce aux documents trouvés par F. Cagnetta, qu'elle existait antérieurement. Rien ne permettait d'ailleurs auparavant de dire que Kircher n'en fût autre chose que le codificateur.

20. Cf. J. Perriault, *op. cit.*

21. Cf. *Instructions pratiques sur l'emploi des appareils de projection,* par A. Molteni, Paris, 1re éd. 1878.

22. Étienne Gaspard Robertson, *Mémoires récréatifs scientifiques et anecdotiques,* Paris, tome 1, 1831, tome 2, 1833.

23. J'ai longtemps cru qu'il s'agissait du musicien et je suis redevable à Françoise Levie de m'avoir instruit de l'existence de cet homonyme contemporain.

24. Nous devons cette anecdote à Louis Figuier, auteur des *Merveilles de l'électricité.*

25. Jean-Pierre Delaville, *Les Inventions dans les arts visuels, Processus de l'évolution technologique. Une relecture,* thèse de doctorat, EHESS, 1977.

26. Cyrano de Bergerac, *Histoire comique des États et des Empires de la lune.*

27. François Caradec vient de publier une lettre inédite de Cros dans laquelle on discerne une prémonition de ce qu'on appelle aujourd'hui l'intelligence artificielle; in Alphonse Allais, *Lettre inédite à Charles Cros sur la pile physiologique sans métaux à deux liquides suivie d'un environnement en guise de postface par François Caradec contenant « Les Savants Jeunes » et « La Mort de Charles Cros »,* Éditions du Fourneau, 1987.

28. J'ai raconté en détail dans *Mémoires de l'ombre et du son* la lutte entre Cros et Edison au sujet du phonographe, lutte qui est celle du pot de terre contre le pot de fer. Edison est déjà un chef d'entreprise qui possède ateliers, techniciens – c'est Kruesi qui a construit l'appareil – et un homme de relations publiques. Cros n'a rien de tout cela.

29. Théodore Du Moncel, *Exposé sur les applications de l'électricité,* Hachette, Paris, 1857, 5 vol.

30. Charles Bourseul, cité par Du Moncel, in *Applications,* tome 2, p. 110 et 211, cité par lui dans la séance du 18 février 1878 (CRAS, LXXXVI, p. 521).

31. « Ici nous avons un excellent mécanicien qui se propose de faire une machine volante, grâce à laquelle il serait possible d'aller d'ici à Constantinople dans l'espace en un seul jour. » Lettre du père Mersenne à Helvétius, datée de Paris, 14 mars 1648, in Robert Lenoble, *Mersenne ou la naissance du mécanisme,* Vrin, Paris, 1971.

32. Lenoble, *ibid.*

33. Akio Morita, *Made in Japan,* Robert Laffont, Paris, 1986.

34. C. Colin, « Le téléphote », in *Le Magasin pittoresque,* 1881, p. 71.

35. Antoine Breguet, Note sur les expériences photophoniques de M. Bell et Summer Tainter, CRAS, séance du 18 octobre 1880, XCI, p. 652.

36. In V.F.M. « Les auditions du phonographe dans la galerie des machines », in *L'Exposition de Paris de 1889*, 28 septembre 1889, n° 39.

37. Théodore Moncel, *Sur le phonographe de M. Edison*, CRAS, LXXXVI, p. 643.

38. Mis au point par Benoît Mandelbrot.

39. Commercialisé par Telefunken et Decca.

40. La transcription numérique des images conduit à de nouveaux dispositifs plus puissants de stockage, sorte de vidéodisques à grande capacité, des CD-ROM et CD-I. Aussi les stratégies industrielles doivent-elles choisir le bon cheval.

41. Par un Danois, Waldemar Poulsen. Le premier appareil, nommé « magnétophone », fut construit par la firme allemande AEG en 1935.

42. Par l'ingénieur Barthélemy.

43. Wladimir Zworykyn présente en 1923 un tube cathodique, qui s'inspire, tout en l'améliorant, de tube réalisé par le Russe Boris Rosling en 1911.

44. Construit par Ampex.

45. Construit par Sony.

46. Jacques Vaucanson fut le plus célèbre. Son projet, au travers de réalisations telles que le joueur de galoubet ou le canard, était en fait de construire un homme artificiel. Sur cette question, on lira A. Doyon et L. Liaigre, Jacques Vaucanson, mécanicien de génie, Préface de B. Gille, PUF, Paris, 1966.

47. Par Lee Forest.

II. Machines à réguler

1. L'école de Palo Alto est constituée d'un groupe de psychiatres qui se sont spécialisés dans les thérapeutiques familiales. Elle eut comme chef de file Gregory Bateson. Paul Watzlawick a étudié dans *Une théorie de communication* la suite des quiproquos dans une scène de ménage et la façon dont ils conduisaient à des paroxysmes.

2. Le 27 mars 1987.

3. Dunod, Paris, 1964.

4. In P. Schaeffer, *Machines à communiquer. Genèse des simulacres, op. cit.*

5. Michel Batala, *Existence de manifestation d'un nouveau moyen d'information dans la communication sociale : « Radio-Trottoir »*, thèse de doctorat de 3ᵉ cycle, EHESS, décembre 1979.

6. Pour une critique du terme « audiovisuel », cf. Jean-Claude

Passeron, « Les yeux et les oreilles », in *Avant-propos pour l'œil à la page,* Paros, GIDES, novembre 1979, 22 p.

7. L'objet est fixé sur un anneau par deux vis diamétralement opposées, autour desquelles il peut pivoter. Cet anneau est fixé au corps du bâtiment par deux vis dont l'axe est perpendiculaire au précédent. En cas de roulis, l'oscillation de l'anneau épouse son oscillation, mais contrarie et détruit celle de l'objet suspendu. Et réciproquement.

III. Mythologies audiovisuelles

1. « Radio et solitudes », in *Interférences,* n° 10, août 1979.

2. Jules Janssen, *Sur le phonographe de M. Edison,* CRAS, séance du 15 avril 1889, CVII, p. 833.

3. Cf. J. Bril, *Lilith ou la Mère obscure,* Payot, Paris, 1981.

4. Cf. à ce sujet A. Doyon et L. Liaigre qui ont publié une étude très fouillée de l'œuvre du génial mécanicien.

5. *De l'éducation des sourds-muets de naissance,* Paris, Mequignon Aime, 1827, tomes 1 et 2.

6. Thomas A. Edison, *Diary and Sundry Observations,* Dagobert D. Runes Ed., New York, The Philosophical Library, 1949.

7. *Du mode d'existence des objets techniques,* Aubier, Paris, 1969.

8. On est redevable à Jurgis Baltrusaitis d'une histoire approfondie de cet instrument; *Le Miroir, op. cit.*

9. Selon Sozime le Parapolitain, un alchimiste grec, né en Égypte au IVe siècle avant J.-C.

10. Jurgis Baltrusaitis, *op. cit.*

11. Pour une étude psychanalytique du miroir, voir J. Bril, *Lilith ou la mère obscure, op. cit.*

12. Nous ne voyons que de manière floue dans le miroir, pas comme dans le vis-à-vis.

13. On est redevable à Marc Fumaroli d'une analyse approfondie de l'usage qu'en fit la Compagnie de Jésus. Elle accordait, on le sait déjà par les travaux du père Kircher, une grande importance à l'image en tant qu'appui à la rhétorique pour la démonstration de l'existence de Dieu. Marc Fumaroli, *L'Age de l'éloquence, Rhétorique et « res literaria » de la Renaissance au seuil de l'époque classique,* Droz, Genève, 1980.

14. M. Fumaroli, *op. cit.*

15. Blandice : charme, séduction.

16. Que Fumaroli décrit en recourant au vocabulaire de l'audiovisuel, *op. cit.*

17. In *Mythologiques,* tome 4, Plon, Paris, 1971.

18. *L'Europe des cathédrales,* G. Duby, Skira, 1984.

19. Paolo Santarcangeli, *Le Livre des labyrinthes, Histoire d'un mythe et d'un symbole,* trad. de l'italien par Monique Lacan,

Gallimard, Paris, 1974 ; Louis Grodecki, « Moyen Age occidental », in *Symbolisme cosmique et monuments religieux,* musée Guimet, Paris, juillet 1953, Éditions des Musées Nationaux, p. 79-81.

20. Précise Paolo Santarcangeli.

21. Remarquent Colette Manhes et Jean-Paul Deremble, in *Le Vitrail du Bon Samaritain,* coll. « Notre histoire », Le Centurion, Paris, 1986.

22. Pour Émile Male, dont l'ouvrage du siècle dernier sur l'iconographie religieuse du XIIIe siècle fait toujours autorité : *L'Art religieux du XIIIe siècle en France, étude sur l'iconographie du Moyen Age et sur ses sources d'inspiration,* Colin, Paris, 1919.

23. André Leroi-Gourhan, *Le Geste et la parole, La mémoire et les rythmes, op. cit.*

24. Umberto Eco, « Pour une reformulation du signe iconique », in *Communications,* n° 29.

25. Akio Morita, avec Edwin Reingold et Mitsuko Shimomura, *Made in Japan. Le management à la japonaise par le grand patron de Sony,* coll. « Vécu », Robert Laffont, 1986.

26. CD-ROM = Compact Disc-Read Only Memory. C'est un disque métallique à très haute densité d'information, représenté sous une forme numérique.

IV. Entourage technicien et exploration des possibles

1. Th. du Moncel, *Exposé des applications de l'électricité,* Paris, Hachette, 1836-1862, 2e éd., 5 vol. in 8°, tome 3 ; *Applications mécaniques, physiques et physiologiques.*

2. Traduit en français : Neil Postman, *Se distraire à en mourir,* Flammarion, Paris, 1986.

3. George E. Gouraud, *Perfectionnements apportés au phonographe de M. Edison,* CRAS, CVIII, p. 841.

4. P. Giffard, *Le phonographe expliqué à tout le monde,* Petite Bibliothèque à un franc, Maurice Dreyfus, Paris, 1878, 127 p.

5. Cité par M. Horwitz, in *L'Échec du câble communautaire au Québec,* EHESS, 1975.

6. *Ibid.*

7. Le texte en référence est tiré de *Villeneuve de Grenoble – Échirolles. Principes de fonctionnement d'un circuit de télédistribution,* ron. et de *Groupe animation de la Villeneuve. La formation continue des adultes à la Villeneuve. Notes de travail 20 décembre 1971.* ron.

8. « Le Vidéographe », in *Médias,* n° spécial, juillet 1973.

9. Gouvernement du Québec, ministère de l'Éducation, Multimédia, ron. 27 p. annexes.

10. Monique Cudraz et Marius Teodoresco tournent alors, pour le compte de l'Office français des techniques modernes d'éducation, des films sur trois projets réalisés dans ce cadre : création

d'une coopérative alimentaire, création d'une coopérative funéraire, emploi de la vidéo pour réduire un conflit entre les habitants de HLM et de pavillons dans un quartier de Sherbrooke. C'est en participant au repérage et en suivant le tournage que j'ai pu recueillir nombre d'informations sur ces faits éphémères et dont rien, sinon ces films, ne conservent aujourd'hui la mémoire.

11. In Mcluhan, Marshall, *Pour comprendre les médias,* coll. « Points », Le Seuil, Paris, 1968.

12. Éléments pour une politique de prêts d'équipement ou « Vidé-o-monde », s.d. ron.

13. Cf. « La nouvelle couche sociale », in *La Gazette de Multimédia,* n° 13, 15 février 1974.

14. Stanislas Meunier, *Les Projections lumineuses et l'enseignement primaire,* conférence faite dans le grand amphithéâtre de la Sorbonne aux membres du Congrès pédagogique, A. Molbeni éditeur, Paris, 30 mars 1880.

15. Seymour Papert, « Teaching Children to be Mathematicans versus teaching about Mathematics », in *International Journal of mathematical Education in Science et Technology,* Chichester, J. Wiley, 1972, vol. 3, p. 249-262.

16. Flammarion, Paris, 1981.

17. Cf. *Les pouvoirs du rêve,* CRCT, Paris, 1984.

18. Cf. « La fonction crée l'organe », in *Communications,* n° 33, 1981.

19. *Mind and media,* Fontana, Londres, 1984.

20. *Op. cit.*

21. Pierre Schaeffer les a longuement analysées dans *Machines à communiquer, op. cit.*

DEUXIÈME PARTIE – LES USAGES AU QUOTIDIEN

V. Variations autour de quatre appareils

1. Chantal Duchet, Jackie Just et Henri Hudrizier.

2. Raconté par Mme de Graffigny, in *Voltaire* de J. Drieux.

3. *Fables de M. Florian,* précédées de la vie de l'auteur (par Jauffret), suivies d'un choix de maximes, pensées... empruntées aux fabulistes français (par Simon Blocquel), Delarue, Paris, 1860.

4. Cf. *Souvenirs d'un défenseur de la famille royale pendant la Révolution* (1789-1797), Étienne Chavaray, Plon, Paris, 1895.

5. In *la Feuille villageoise,* n° 22, février 1793. Cité par Jérôme Prieur dans *Séance de lanterne magique,* coll. « Le Chemin », Gallimard, Paris, 1985.

6. *Jean Santeuil,* La Pléiade, Gallimard, Paris, 1971.

7. « Le rapport de Monsieur Édouard Petit », in *Après l'école,* 1re année, 1895-1896, n° 18.

8. *Pratiques culturelles des Français. Description socio-démo-*

graphique, Évolution 1973-1981, Dalloz, Paris, 1982. Ministère de la Culture.

9. Cf. Le nouveau phonographe d'Edison, *op. cit.*

10. VFM, « Les auditions du phonographe dans la galerie des machines », in *L'Exposition de Paris* de 1889, 28 septembre 1889, nᵒ 39.

11. « Le pavillon des téléphones », in *L'Exposition de Paris* de 1889, 9 octobre 1889, nᵒ 42.

12. Cf. J. Perriault, *La Photo buissonnière. L'expérience d'une école de village,* Postface de Guy Puyo, Fleurus, Paris, 1977.

13. J.F. Boudinot, F. Lacas, J. Perriault, *Ordinateurs et téléphones. Représentations et pratiques d'enfants 6-12 ans,* rapport de recherche, INRP, Paris, 1983.

14. J.-F. Barbier-Bouvet « Publics à l'œuvre. Pratiques du texte, de l'image et du son », BPI, Centre Georges-Pompidou, in *Réseaux,* juin 1987, nᵒ 25.

15. Bénédicte Lavoisier « Micro-ordinateur familial », in *INC Hebdo,* 11 avril 1986, nᵒ 504.

16. Cf. « L'ordinateur subjectif », in *Culture technique,* nᵒ 10, juin 1983. Aussi Robert W. Lawler, Computer Experience and Cognitive Development. A Child's Learning in a Computer Culture, Ellis Horwood, Chichester, 1985.

17. R. Rosenthal, « Ma maison en l'an 2000 », *Annales IFB,* Paris, 1987.

18. In *Pour une critique de l'économie politique du signe,* Gallimard, Paris, 1972.

19. In *Le Système technicien,* Calmann-Lévy, Paris, 1977.

20. B. Boffety, J.-J. Boudinot, E. Daphy, M. Descolonges, J. Perriault, *Rock ou informatique? Une enquête sur les jeunes du 13ᵉ arrondissement,* INRP, Paris, 1984.

21. *Ibid.*

22. P. Mark Greenfield, *Mind and Media,* Fontana, Londres, 1984.

VI. Magies familiales

1. Cf. P. Le Roure, *Les Comportements de base des Français,* in Les Collections de l'Insee. Ménages, série M, nᵒ 2, juillet 1970. Nous nous servons par ailleurs constamment de *Données sociales,* éd. 1984 et éd. 1987.

2. Source *Stratégies Hebdo,* nᵒ 512, 14-20 avril 1986.

3. *Ibid.*

4. *Ibid.*

5. *Ibid.*

6. Source *Stratégies Hebdo,* nᵒ 511, 7-13 avril 1986.

7. *Stratégies Hebdo,* nᵒ 512.

8. D'après l'enquête de l'Insee, *Les Disparités d'équipement des ménages en biens durables. Enquête équipement ménager*

1979 (nº 54), les catégories les plus équipées en appareil-photo étaient les suivantes :

- ingénieurs   94,5 %
- cadres administratifs supérieurs   91,6 %
- professions libérales   89,6 %
- techniciens   88,1 %
- contremaîtres   85,4 %
- gros commerçants   85,1 %
- industriels   85,0 %

9. L'étude de l'Insee, citée plus haut, confirme en effet que niveau de revenus et type de ménage sont fortement déterminants. Les personnes seules et les couples inactifs sont les moins équipés (27 %), les ménages actifs, avec ou sans enfants, l'étant le plus (75 %). En 1979 les ménages ayant de un à trois enfants détenaient un ou plusieurs appareils-photo dans les proportions de 81,87 et 83 %. Le niveau de diplôme intervient au deuxième niveau de segmentation.

10. Cf. Cécile Meadel, « Un nouveau consommateur d'électricité : le sans-filiste », in *Quatrième colloque de l'Association pour l'histoire de l'électricité en France. L'électricité et ses consommateurs,* Paris, 19-21 mai 1987.

11. *Ibid.,* cf. aussi René Duval, *Histoire de la radio en France,* Alain Moreau, Paris, 1979.

12. Cité par Élisabeth Cazenave, « Radio-Mont-de-Marsan », in *Bulletin de la Société de Borda,* nº 378, 2ᵉ trimestre 1980.

13. Puis 1 800 00 en janvier 1935, 2 600 000 en janvier 1936 et 3 000 000 en octobre 1936 (cf. J. Durand, L'étude par panel du public de la radio-télévision française, Revue française du marketing, 1978/3-Cahier 74).

14. Charles de Gaulle, *Mémoires.*

15. « Une enquête par sondage sur l'auditoire radiophonique », in *Bulletin mensuel des statistiques,* suppl. janvier-mars 1954.

16. « Une enquête par sondage sur l'écoute radiophonique en France », in *Études et conjonctures,* nº 10, octobre 1963.

17. En 1973, une étude de Bernadette Seibel montra que ce phénomène de l'aiguille fixe croît en fonction de l'âge et en raison inverse du niveau d'instruction.

18. *Le Comportement de loisir des Français,* par Pierre Le Roux, in Les Collections de l'Insee, série M, nº 2, 1970.

19. *Stratégies,* nº 536, sept. 1986.

20. Les régions dans lesquelles on écoute le plus sont :

- l'Ile-de-France   257
- l'Alsace   226
- la Basse-Normandie   222
- la Lorraine   218   } moyennes par auditeur
- la Haute-Normandie   206   (en minutes)
- le Nord   205
- le Dauphiné   200

Sources : supplément à *Stratégies Hebdo,* n° 536 septembre 1986, *Médiamétrie,* 1er au 7 mars 1986. Résultats d'audience Sofrès-Ifop du 20 mai au 3 juin 1986.

21. *Grandes inventions : La télévision,* France-Culture, cassettes Radio-France, s.d.

22. Source : Insee, ministère de l'Industrie, Union des industries chimiques, année 1938 et 1946 à 1959.

23. Hélène Valdelièvre, « L'équipement des ménages en biens durables au début de 1983 », Insee, M 104; cf. aussi Michel Souchon, *Petit écran, grand public,* coll. Ina, Documentation française; cf. également Jacques Durand, « L'évolution de l'audience de la télévision 1968-1980 », in *Revue française de consommation,* hiver 1980; aussi Alain Le Diberder, Sylvie Pflieges, « La consommation de télévision demain », in *Futuribles,* janvier 1987, n° 106.

24. Une enquête par sondage sur l'écoute radiophonique en France, in *Étude et conjoncture,* n° 10, octobre 1963.

25. *Centre d'études d'opinion, Évolution de l'audience des jeunes téléspectateurs, 8-14 ans,* CEO, 1980.

26. Enquête 1954, Insee, *op. cit.*

27. Enquête 1964, Insee, *op. cit.*

28. Éric Fouquier « Les goûts scientifiques des téléspectateurs », à paraître dans *Éducation permanente.*

29. Le système d'enquêtes sur les conditions de vie et aspirations des *Français,* phase VIII (enquête 1985-1986), *Thème d'éducation,* rapport technique janvier 1986.

30. « La TV n'empêche ni de bouger ni de sortir », in *Stratégies Hebdo,* n° 486, 16-23 septembre 1985.

31. Stock, Paris 1978.

32. Pour une typologie des émissions, cf. É. Fouquier, E. Veron, *Les Spectacles scientifiques télévisés. Fonctions de la production et de la réception,* Documentation française, Paris, 1985.

33. Un des livres les plus corrosifs sur le sujet est de G. Rapaille : *Le trouble,* Mengès, Paris, 1980. Voir aussi A. Le Diberder, S. Pflieges, *op. cit.*

34. Sondage Ipsos, *Télé-Poche,* in *Stratégies,* n° 486, 16-22 septembre 1985.

35. J.-C. Baboulin, J.-P. Gaudin, P. Mallein, *Le Magnétoscope au quotidien. Un demi-pouce de liberté,* Aubier, Ina, Paris 1983.

36. D'après H.J. Dijan, « La vidéo : des hauts et des hauts », in *L'Express,* 31 juillet 1987.

37. D'après l'article de F. Verpillat, in *Encyclopaedia universalis.*

38. *Le Magnétoscope au quotidien, op. cit.*

246

VII. Les appareils désenchantés

1. Sur cette question, voir l'excellent livre de D. Boullier (avec la collaboration d'Annie Cochet), *L'Effet micro ou la technique enchantée. Rapport de génération et pratiques de la micro-informatique dans la famille,* Recherche réalisée pour CCETT, Université Rennes-II, 1985.

2. Pange (née Paulina de Broglie), in *Le Téléphone à la Belle-Époque,* Libro-Sciences, Bruxelles, s.d.

3. Cf. Joseph Libois, *Genèse et croissance des télécommunications,* coll. « Technique et scientifique des télécommunications », Masson, Paris, 1983. Statistiques : Évaluation du nombre des postes téléphoniques de toute nature en France et dans le monde, des origines à la nationalisation.

4. Cf. note 2.

5. *Entre nous, les téléphones. Vers une sociologie de la télécommunication,* INSEP éditions, Paris, 1985 (préface d'Alain Giraud).

6. In les Collections de l'Insee, 2 M, n° 24, juillet 1970.

7. Cf. Nicole Arnal, Emmanuel Vilmin, « Le téléphone dans l'équipement des ménages », in *Revue française des télécommunications,* n° 42, janvier 1982.

8. *Ibid.*

9. L'équipement en téléphones est corrélé au revenu. 95 % des ménages ayant, en 1982, un revenu supérieur à 120 000, sont dotés d'un combiné quelle que soit leur catégorie socioprofessionnelle.

10. Dans une enquête effectuée en 1983, Nicolas Curien et Pascal Perrin montrent que le nombre moyen de communications mensuelles, par téléphone, par courrier ou par déplacement est de 38 pour les ouvriers, alors qu'il est de 83 pour les cadres supérieurs. Le déplacement est prédominant.

11. Cf. Nicolas Curien et Pascal Perrin, « La communication des ménages. Une cartographie socio-économique », p. 35-58, in *Futuribles,* avril 1983.

12. N. Arnal, E. Willemin, *op. cit.*

13. Cf. *Revue française des télécommunications,* n° 42, janvier 1982.

14. Cf. Paul Beaud et Patrice Flichy, *La Communication bureaucratisée. L'utilisation du téléphone dans une administration,* Ina, rapport de recherche, s.d.

15. Jean-François Boudinot et Jacques Perriault, « Culture technique à l'école élémentaire : un exemple celui du téléphone », in *Ordinateurs et téléphones, op. cit.,* chap. V, note 13.

16. In *Fragments des passions ordinaires. Essai sur le phé-*

nomène de télé-sociabilité, préface de Pierre Tap, La Documentation française, Paris, 1987.

17. Pierre Tap, *op. cit.*

18. *Ibid.*

19. Cf. Jacques Bril, *Lilith ou la mère obscure,* Payot, Paris, 1984.

20. *Puissance de l'ordinateur et raison de l'homme,* Éditions de l'informatique, Paris, 1981.

21. *What computers can't do. The limits of Artificial Intelligency,* Harper and Row, 1972 *(Intelligence artificielle. Mythes et limites),* Flammarion, Paris, 1984.

22. Cf. B. Lussato et Gérard Messadie, *Bouillon de culture,* Robert Laffont, 1986.

23. *Les Français et l'informatique,* Agence de l'informatique, septembre 1984.

24. « Micro-ordinateur familial », in *INC Hebdo,* 11 avril 1986 par Bénédicte Lavoisier.

25. In Pascal Petit. Progrès techniques et emploi : bilan et perspectives après une décennie de stagnation et chômage (1975-1985), in D. Linhart, J. Perriault, Informatique, entreprise, et monde du travail (titre provisoire), Encyclopédie Diderot, en préparation.

26. Dominique Weygand, Un micro-ordinateur portatif à affichage Braille, in « Publics, contenus et médias de l'enseignement à distance », CNED, Paris, 1988.

27. « La télématique en 1986 », in *Stratégies Hebdo,* n° 558, 20-26 avril, 1987.

IX. *La logique de l'usage*

1. J.-F. Barbier-Bouvet, *op. cit.*

2. Cf. Corinne Rosenthal, *op. cit.*

3. Test conçu et administré par Élisabeth Lage.

4. Cf. Jacques Bril, *op. cit.*

5. Pierre Bourdieu et al., *Un art moyen. La photographie,* Paris, Éditions de Minuit, 1965.

6. Annoncée par l'augmentation considérable des ventes de la littérature dite de « charme ».

7. Cette métaphore est due à Yves Le Gall.

8. Cf. *supra,* chap. VI et VII.

9. Cette métaphore a été utilisée pour la première fois, en 1979, par Thierry Gaudin, dans *L'Écoute des silences,* 10/18.

10. Dans les dix dernières années, l'Union internationale des organismes familiaux (UIOF), qui comporte un grand nombre de participants du tiers monde, a organisé plusieurs manifestations sur le thème « Famille et médias ».

11. Cf. Lewis Mumford, *Technique et civilisation,* Le Seuil, 1946.

12. Cf. un rapport américain, le rapport Surgeon, qui conclut par la négative, lors d'un colloque qui se tint à Washington en 1975.

13. Luis Busato, *L'Empreinte des médias dans le langage des adolescents. L'effet de mixage,* thèse de doctorat de 3ᵉ cycle, EHSS, Paris, 1982. Les adolescents dont il s'agit sont de la région lyonnaise. Busato les a enregistrés un mois durant, dans un train de banlieue.

14. *Ibid.*

15. Sherry Turkle, *Les Enfants de l'ordinateur, op. cit.*

16. Le terme « théorie » vient du grec *theorein :* contempler.

17. Cf. Patricia Mark Greenfield, *Video Games as Tools of Cognitive Socialization, Proceedings of « Computers, Cognition and Epistemology »,* An International Symposium, Sandbjerg Slot, Danemark 1987.

18. Ce n'est pas non plus un fait du hasard si les jeux d'aventures tels que Dongeons et Dragons ou encore les livres programmés connaissent un succès considérable. Il s'y trouve en effet des énigmes à résoudre, des questions à choix multiples qui conditionnent la suite du parcours, des situations fortement imagées. Le maître du Donjon prépare de longues heures à l'avance le parcours, on pourrait presque dire le programme, au sens informatique du terme, qu'il envisage pour ses partenaires.

19. Cf. Marc Baroli, *Le Train dans la littérature française,* Éditions NM, Paris, 1969.

Conclusion

1. Le magnétoscope et la télématique font exception parce qu'ils viennent s'installer dans des niches écologiques qu'avait préparées depuis longtemps pour eux le développement de la télévision et du téléphone. Sur ce sujet, Anne-Marie Laulan, *La Résistance aux systèmes d'information,* Éditions Retz, Paris, 1985 (cf. J. Perriault, *Mémoires de l'Ombre et du Son, op. cit.*).

Index des noms cités

En gras : partie historique; en maigre : partie contemporaine; petits caractères gras : personnages mythiques; caractères droits : auteurs; italiques : institutions.

251

253

Table

CET OUVRAGE
A ÉTÉ COMPOSÉ
ET ACHEVÉ D'IMPRIMER
PAR L'IMPRIMERIE FLOCH
À MAYENNE EN JANVIER 1989

N° d'éd. 11949. N° d'impr. 27371.
D.L. : février 1989.
(Imprimé en France)